COLLECTION CARACTÈRE

Abominable
Hermann

Balade au bout du monde
Makyo/Vicomte/Herenguel
1. La prison
2. Le grand pays
3. Le bâtard
4. La pierre de folie
• Intégrale tomes 1 à 4
Makyo/Herenguel
5. Ariane
6. A-Ka-Tha
7. La voix des maîtres
8. Maharani
• Intégrale tomes 5 à 8
Makyo/Faure
9. Les véritables
10. Blanche
11. Rabal le guérisseur
12. L'oeil du poisson

Beatifica blues
Dufaux/Griffo
• Version intégrale

Bout d'homme
Kraehn
1. L'enfant et le rat
2. La parade des monstres
3. Vengeance
4. Karriguel an Ankou
• Intégrale tomes 1 à 4

Dayak
Adamov
1. Ghetto 9
2. La chambre verte
3. Zacks
• Coffret : tome 1
  + l'album de crayonnés
• L'intégrale

Les Eaux de Mortelune
Cothias/Adamov
1. L'échiquier du rat
2. Le café du port
3. Le prince et la poupée
4. Les yeux de Nicolas
5. Vague à lames
• Intégrale tomes 1 à 5
6. Le chiffre de la bête
7. La guerre des Dieux
8. La mort de Nicolas
9. De Profundis
10. La recherche du temps perdu

Elsa
Makyo/Faure
1. Elsa
2. Papillons secrets
3. Le danseur
• Intégrale tomes 1 à 3

Les enfants de la Salamandre
Dufaux/Renaud
• Version intégrale

L'Etat morbide
Hulet
1. La maison-dieu
2. Le passage avide
3. Waterloo exit
• Intégrale tomes 1 à 3

Le fer et le feu
Stalner
1. Adieu, Baron
2. Samson
3. Le Comte de Charlant
• Coffret : tome 1
  + l'album de crayonnés

Fox
Dufaux/Charles
1. Le livre maudit
2. Le miroir de vérité
3. Raïs el Djemat
4. Le Dieu rouge
5. Le club des momies
6. Jour-Corbeau
7. Los Alamos, Trinity
• Coffret tomes 1 à 4

Graines de paradis
Makyo
1. Lise a souvent peur

Grimion gant de cuir
Makyo
1. Sirène
2. Le corbeau blanc
3. La petite mort
4. le pays de l'arbre
• Intégrale tomes 1 à 4

Haute mer
Dimitri

Hindenburg D.L.Z. 129
Dimitri

L'hymne à la forêt
Dimitri
1. Légende

L'Impératrice rouge
Dufaux/Adamou
1. Le sang de St-Bothrace

La Esméralda
Achdé/J.-M. Stalner
1. Opus délit

Kamikazes
Dimitri

Kursk - tourmente d'acier
Dimitri

Little Ego
Giardino
1. Little Ego

Max Fridman
Giardino
1. Rhapsodie hongroise
2. La porte d'Orient

Meurtrier
Dimitri

Le rêve du requin
Schultheiss
• Intégrale tomes 1 à 3

Les révoltés
Malès/Dufaux
1. Les révoltés
2. Les révoltés
3. Les révoltés

Samba Bugatti
Dufaux/Griffo
1. Samba Bugatti
2. Monkey rock
3. Le mystère Bugatti
4. L'oiseau-rouille

Sambre
Balac/Yslaire
1. Plus ne m'est rien...
2. Je sais que tu viendras...
• Version intégrale du tome 2
La mémoire des Sambre
Yslaire
3. Révolution, révolution...
4. Faut-il que nous mourions ensemble...
• L'intégrale

Les 7 vies de l'épervier
Cothias/Juillard
1. La blanche morte
2. Le temps des chiens
3. L'arbre de mai
4. Hyronimus
5. Le maître des oiseaux
6. La part du diable
7. La marque du Condor
• Intégrale tomes 1 à 7
Tirage de tête

Sophaletta
Arnoux
1. Des larmes de sang
2. Le souffle des loups
3. L'héritage de la putain
Arnoux/Hé
4. Les larmes de la Tsarine

Sous le pavillon du Tsar
Dimitri

Soùvenirs de Toussaint
Convard/Dermaut
1. Gobe-mouche
2. Pied de bouc
3. Le Loriot
Convard/Savey
4. La croix des vaches

Tako
Yann/Michetz
1. Tako
2. Ama

Les voyages clos
Servais/Dewamme
1. Montagne fleurie

LES GRANDS ECRIVAINS

Balzac
Dufaux/Savey

Hammett
Dufaux/Malés

Hemingway
Dufaux/Malés
Mort d'un Léopard

Mudwog
Suydam
Les monstres de la boue

Pasolini
Dufaux/Rotundo
Pig ! Pig ! Pig !

Sade
Dufaux/Griffo
L'aigle, mademoiselle...
• Coffret : Balzac, Hemingway,
    Pasolini, Sade.

BA

BALADE AU BOUT DU MONDE

1·LA PRISON

Glénat

MAIS ENFIN !... OÙ ÉTAIS-TU PASSÉ ?... ÇA T'AMUSE VRAIMENT DE DISPARAÎTRE COMME ÇA RÉGULIÈREMENT DU MONDE DES VIVANTS ?!
.....

VOYONS, ANNE CHÉRIE, TU ES MAINTENANT EN ÂGE DE COMPRENDRE.. ... LE "MONDE DES VIVANTS" COMME TU L'APPELLES, NE SE LIMITE PAS AUX MURS DE TA CHAMBRE !!

MAIS, ENFIN ARTHIS !!.. ÇA FAIT PLUS D'UNE SEMAINE !

ÉCOUTE, CROIS-MOI, UNE SEMAINE ÇA PASSE VITE QUAND ON A AUTRE CHOSE À FAIRE QU'À COMPTER SES POINTS NOIRS !...

TU ES INJUSTE, ARTHIS !

NE LE PRENDS PAS MAL !... C'EST UNE IMAGE !... JE SUIS FATIGUÉ !..... ... J'AI MOI AUSSI MES "POINTS NOIRS" !!

MAIS.... JE NE DEMANDE QU'À T'AIDER

TU SAIS.... DES TAS D'IMAGES FLOUES... DES PAYSAGES BRUMEUX FLOTTENT DANS MA PETITE TÊTE DE PHOTOGRAPHE DEPUIS PAS MAL DE TEMPS ....

JE CROIS, MON PETIT HMI QUE TU N'ARRIVERAS JAMAIS À PRENDRE TES FANTASMES EN PHOTO .... MÊME AVEC UNE PELLICULE TRÈS SENSIBLE !!

DÉTROMPE-TOI !..... J'AI DÉCOUVERT UN ENDROIT FABULEUX.... DES MARAIS !... AVEC EXACTEMENT LES BRUMES DE MON CERVEAU !..

MAIS.. OÙ ?.. OÙ VAS-TU ?..

JE VAIS ME BALADER ! .... ME BALADER AU BOUT DU MONDE !

...ILS REDOUBLÈRENT TOUT À COUP DE VIOLENCE .... LA PETITE PLUIE FINE ET PÉNÉTRANTE SE CHANGEA ALORS EN GOUTTES LOURDES ....

ET LES BOURRASQUES DE VENT....

...S'EN EMPARÈRENT AUSSITÔT, COMME POUR PUNIR...

...POUR FOUETTER LES PASSANTS AUDACIEUX ....

...INSENSIBLES À LEUR FUREUR THÉÂTRALE ...

ET CETTE PLUIE QUI DURE DEPUIS DEUX JOURS!... IL PARAÎT QUE C'EST GÉNÉRAL!...

MM... EUH... DITES... JE VIENS DES MARAIS, LÀ-BAS! ... ...ILS SONT IMMENSES!!

"IMMENSES"!... VOUS POUVEZ LE DIRE!!... SAVEZ-VOUS COMMENT ON LES APPELLE PAR ICI?

NON...

LE BOUT DU MONDE ....

BON DIEU! JE ME SUIS ASSOUPI!!

FFF... QUELLE DÉVEINE AUSSI !... SI J'AVAIS EU TOUT MON MATÉRIEL... ...

...ÇA M'AURAIT ÉVITÉ LES DOUZE HEURES ALLER ET RETOUR PARIS !

BON .. ALLEZ !.. ÇA REPART... DOUCEMENT !.. DE TOUTE FAÇON, JE SERAI A L'HÔTEL "DES MARAIS" LARGEMENT AVANT LA TOMBÉE DE LA NUIT !

DES MARAIS

AH! BONJOUR MA P'TITE DEMOISELLE !... ... VOUS AVEZ FAIT BON VOYAGE ?..

OUI.... FATIGANT QUAND MÊME... JE SUIS CONTENTE D'ARRIVER AVANT LA NUIT !...

TIENS !.. LA PLUIE A CESSÉ.. MIRACULEUX ! ....

... JE VAIS FINIR PAR CROIRE QUE LA CHANCE S'ACHARNE SUR MOI !

BONSOIR..

AH... VOUS NON PLUS, VOUS N'AVEZ PAS PU RÉSISTER AUX MARAIS !...

MOI NON PLUS ?

OUI, CETTE PETITE DEMOISELLE-LÀ...

ELLE EST REVENUE POUR FAIRE DES PHOTOS DANS L'BOUT DU MONDE !

DES PHOTOS ? ...

DÉCIDÉMENT, CES MARAIS ATTIRENT BEAUCOUP DE MONDE !

VOUS VOYEZ CE TABLEAU ! ... C'EST UN PEINTRE, DE PASSAGE AUSSI, QUI ME L'A OFFERT !

ÇA S'APPELLE "RÉALITÉ ABSOLUE"... OU "FUSION DES TROIS ÉLÉMENTS "... COMME VOUS LE SAVEZ: AIR, EAU, TERRE ...

UN ORIGINAL, QUOI ! ...

UN ARTISTE !.... ET JE LE COMPRENDS !... CES MARAIS SONT UN LIEU DE RENCONTRE PRIVILÉGIÉ ENTRE LE RÉEL ET L'IMAGINAIRE !!

MM !... N'EMPÊCHE !... LE PEINTRE A DISPARU ... SES BAGAGES SONT RESTÉS ICI ... ET L'ENQUÊTE N'A RIEN DONNÉ !..

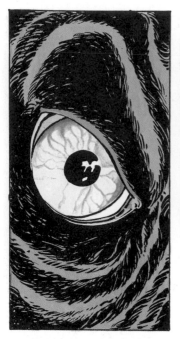

RIEN DONNÉ, RIEN !

TIENS !...
LE TOUBIB !...
MANQUAIT PLUS
QUE LUI !...
..ON VA ENCORE
AVOIR DROIT
AU CHAPITRE...

HA HA !
....
IL RIGOLE
LE TOUBIB !

OH OUI !... IL RIGOLE QUAND IL
VOIT UNE GROSSE OUTRE À
POUSSE-CAFÉ COMME TOI,
PARLER DE LA FUSION DES
TROIS ÉLÉMENTS !!...

AH ! TU NE
VAS PAS
RECOMMENCER !

J'EN AI MARRE DE ME
FAIRE INSULTER PAR UN
SALE PETIT MÉDECIN RATÉ
ET ALCOOLIQUE !!

SON FILS A DISPARU DANS LES
MARAIS, IL Y A UNE QUINZAINE
D'ANNÉES ! ALORS DEPUIS,
IL LE CHERCHE ....

7

...ET IL BOIT!...

IL ÉTAIT AVEC TOI! MON FILS ÉTAIT AVEC TOI!

ET ALORS?.. ON CHASSAIT! IL A DISPARU! QU'EST-C'QUE J'Y POUVAIS MOI!!

DES DISPARITIONS, IL Y EN A EU DES TAS DANS CES MARAIS!! ABRUTI!!...ÇA REMONTE AU MOYEN ÂGE... TU NE VAS TOUT DE MÊME PAS M'ACCUSER DE...

ARWF!

SÂARG! ICI!!

AAH

SÂARG!

GRR

8

TIENS ...
BONJOUR MONSIEUR
JOLINON !...

DEUX HEURES !!
MINCE !...
J'Y VAIS !!..

..DITES DONC, VOUS N'ÊTES PAS
TRÈS MATINAL !...
..LA PETITE JEUNE FILLE EST
DÉJÀ DANS LES MARAIS
DEPUIS DEUX HEURES
AU MOINS !!...

B' JOUR...

VOUS ALLEZ PRENDRE DES PHOTOS ?!...

BF... CETTE QUESTION!... OUI!

...DES PHOTOS DE QUOI ?... ... Y'A RIEN DANS CES MARAIS !...

Y'A LES MARAIS !

11

... MAIS ...MM... DITES!.... APRÈS TOUTES CES ANNÉES !.... VOTRE FILS ... VOUS AVEZ TOUJOURS L'ESPOIR DE LE RETROUVER ?...

... DES PHOTOS DE MARAIS!.. PFF!...

L'AIR ÉTAIT FRAIS... TOUT ÉTAIT REDEVENU CALME ....

.... POUR L'INSTANT DU MOINS...

!

... CAR, LES QUELQUES MINUTES SUIVANTES, PENDANT DES MOIS ET DES MOIS, ARTHIS JOLINON ESSAIERAIT DÉSESPÉRÉMENT DE SE LES RAPPELER...
.....

... DANS LE FAIBLE ESPOIR D'Y TROUVER UN DÉTAIL ...UN INDICE...; SUSCEPTIBLE D'EXPLIQUER TOUT CE QUI ÉTAIT ARRIVÉ...
. . . .

12

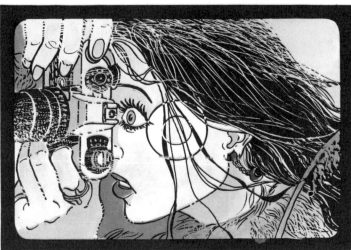

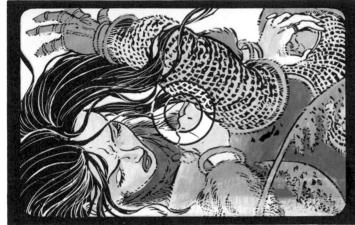

?!

UNE CELLULE ?!...

ABSURDE...

VOYONS..... QUE S'EST-IL PASSÉ ?.... J'ÉTAIS DANS LES MARAIS....
......

HÉ !...

15

QU'EST-CE QUE T'AS À BALADER TA COUENNE PAR ICI, LÉCHEUR ?...

FOUS-LUI LA PAIX !... IL VA OÙ IL VEUT !... T'ES PAS MARIÉ AVEC !!...

VOUS EN FAITES PAS !... ILS SE BATTENT À CAUSE DU LÉCHEUR !...

LÉCHEUR ?....

OUI !... C'EST UN MUET !... ON L'APPELLE COMME ÇA PARCE QU'IL EST BRAVE AVEC TOUT LE MONDE !... CE QU'IL T'A APPORTÉ SÛR QU'IL S'EN EST FENDU POUR TOI, HOMME !....

.... T'AS TOUJOURS RIEN À ME DONNER ?

AAH

FOUTEZ-MOI CE MENDIANT AU PENDULE ! ET LEVEZ LA GRILLE !!

IL A EU À MANGER !!... QUI LUI A DONNÉ ÇA ?..

LE LÉCHEUR ! C'EST LE LÉCHEUR !!

17

FOUTU MUET! COLLEZ-LE AU PENDULE AUSSI!!

PAS LE BIEN!... C'EST PAS LE BIEN! IL VOULAIT...

ON

ALORS!... VOUS VOUS HABITUEZ À VOTRE NOUVELLE EXISTENCE?

QUI ÊTES-VOUS?..

UN PEU IRONIQUEMENT ET AVEC UNE POINTE DE SÉVÉRITÉ, J'EN AI PEUR, TOUS CES PÂLES LOQUETEUX M'ONT SURNOMMÉ LE VALET!...

CECI DIT... JE CONNAIS LES NOUVEAUX ARRIVANTS!.... VOUS ALLEZ ME PLOMBER DE QUI ET DE POURQUOI!! LAISSEZ TOMBER!.... IL N'Y A PAS DE RÉPONSE!!

POUR VOUS INTÉGRER À NOTRE PETITE COMMUNAUTÉ, IL FAUT OUBLIER!...

C'EST TOUT!
...

MM!... QU'EST-CE QUE VOUS AVEZ COMME OBJETS SUR VOUS?...

18

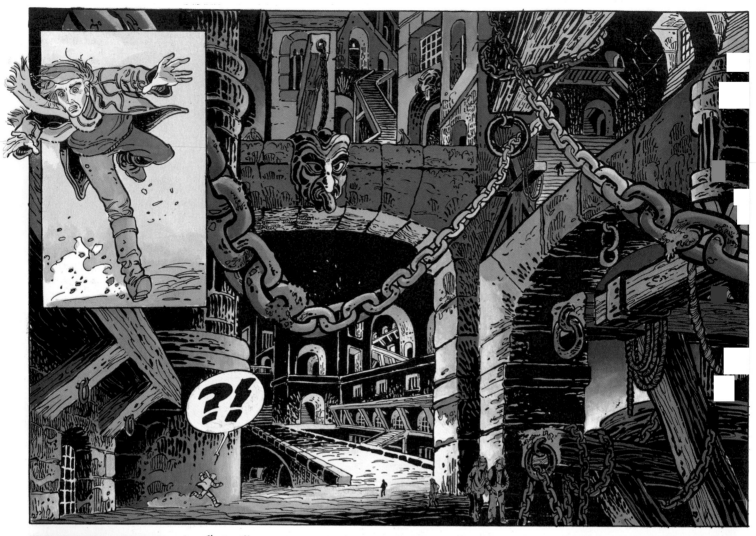

ATTRAPEZ-EN 3 OU 4 POUR L'EXEMPLE !... ..LE NOUVEAU AUSSI !

MON COUTEAU !.. J'AI RÉUSSI À LE SAUVER !..

ALORS !.. IL Y A UN NOUVEAU, IL PARAÎT.... COMMENT EST-IL ? ...

OUI ! OUI PETIT !... TU EN AS DES CHOSES À RACONTER !.....

JE N'Y COMPRENDS RIEN !...

QU'EST-CE QU'ILS ME VEULENT À LA FIN !

...ET LA JEUNE FILLE DES MARAIS ....

...QU'A-T-ELLE BIEN PU DEVENIR ?..

ALORS.... VOYONS CE JEUNE SOT !

TU AS BOUSCULÉ LE CHEF DE NOS GARDES !...... C'EST GRAVE !...

TRÈS GRAVE ....

TRÈS TRÈS GRAVE !...

JE VOUS EN PRIE !... RÉPONDEZ-MOI !... POURQUOI SUIS-JE ICI ?

QUI ÊTES-VOUS ??

POURQUOI ? QUI ? TOUJOURS POURQUOI.. TOUJOURS QUI....

NOUS SOMMES TOUS PRISON-NIERS ICI ET PERSONNE NE SAIT DE QUI ... NI POUR QUELLE RAISON !!..

ALORS... POURQUOI TOUJOURS POURQUOI ?..

ÉTRANGE PRISON... MORNE RONDE OÙ CER-TAINS MEURENT QUAND LES AUTRES ARRIVENT !.. ... ET IL EN EST AINSI DEPUIS LONGTEMPS !! ... BIEN LONGTEMPS !!

OBSCURS DESSEINS AUSSI DE LA DIVINE PROVIDENCE QUI A CHOISI UN RELIGIEUX..., POUR PRÉSIDER AUX DESTINÉES DE CES MALHEUREUX !..

... UN BIEN LOURD FARDEAU... QUI M'OBLIGE PARFOIS À PRENDRE DES MESURES SÉVÈRES ALLANT À L'ENCONTRE DE MA NATURE MAIS NÉCESSAIRES AU MAINTIEN DE L'ORDRE ! L'ORDRE ! LE BEL ORDRE !!

J'ME FOUS DE TOUT ÇA !.. JE VEUX SORTIR D'ICI !!

AH !

LE PENDULE !

23

LE LENDEMAIN
....
DANS LA
SOIRÉE...

SSCHHH

JETER DES CAILLOUX SUR
UN CHAT !... FASCINANT
LOISIR !...
CHACUN, ÉVIDEMMENT,
PREND SON PLAISIR
OÙ IL PEUT !...

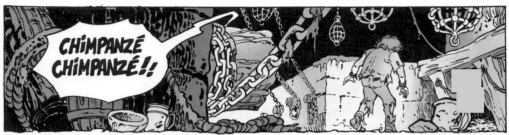

30

... AU MATIN....

SÂARG!?

SÂARG!...
QUOI SÂARG?

C'EST SON SURNOM!...
...IL NE SAIT DIRE QUE ÇA!

... IL N'A PAS SUPPORTÉ LE CHOC!... C'EST COMME ÇA, ICI!... ON DEVIENT FOU TOUT DE SUITE, OU TRÈS LONGTEMPS APRÈS!...

... ENTRE-TEMPS, ON S'ORGANISE!

QUI ÊTES-VOUS?
......

ICI, ON M'APPELLE "LE NARQUOIS"

LE NARQUOIS?
...POURQUOI NARQUOIS?

CETTE QUESTION!... PARCEQUE JE NARGUE!... JE PRATIQUE... DISONS... "L'IRONIE FACILE"... SI DIFFICILE... MM.... ...À COMPRENDRE...

J'AI... J'AI FAIM!...

EH BIEN!... IL FAUT VOUS NOURRIR, MON BON' AMI!...

26

PARLONS-EN JUSTEMENT!... LA NOURRITURE!... D'OÙ VIENT-ELLE ?

MANGE MANGE !

EH!... DU CALME, SÂARG ..DU CALME!..

...QUAND IL Y A UN NOUVEAU, SÂARG LE SUIT COMME UN PETIT CHIEN ! ..... IL FAUDRA VOUS HABITUER !

ALLEZ! COUCHÉ, SÂARG !!... AH AH !..

HM!.. AMUSANT! UN PEU DIFFICILE COMME IRONIE !..

ON S'Y FAIT !

VOUS N'AVEZ PAS RÉPONDU À MA QUESTION !... LA NOURRITURE ?..

LA VOILÀ VOTRE RÉPONSE !

?!

27

C'EST AU BOUT DE CE COULOIR... "LE COULOIR-MÈRE," QUE NOTRE MAIGRE PITANCE EST DÉPOSÉE DE TEMPS EN TEMPS!
....

!.... PAR QUI?

..IMPOSSIBLE À SAVOIR!.... QUAND LA GRILLE DU BOUT SE LÈVE, ON N'APERÇOIT QUE DES OMBRES!
...

QUAND CETTE GRILLE-CI SE LÈVE, L'AUTRE S'ABAISSE ...ET LES OMBRES ONT DISPARU!....

MAIS ...ET CELUI-LÀ!... QUE FAIT-IL DE L'AUTRE CÔTÉ DE LA GRILLE??

HÉ HÉ!..IL CHOISIT SA MORT!....

...DE TEMPS EN TEMPS, UN FOU RESTE DANS LE COULOIR POUR TENTER SA CHANCE...

MM!... PAS BÊTE!..

C'EST INUTILE!... MAIS ÇA FAIT DIX ANS QU'IL SE CREUSE POUR SAVOIR QUI PEUT BIEN ÊTRE DERRIÈRE TOUT ÇA!....

COMME ÇA... AU MOINS, IL SAURA!

ET CETTE GRILLE!... ELLE SE LÈVE SOUVENT?.

C'EST IRRÉGULIER!.. ...MAIS LÀ, ÇA FAIT QUAND MÊME UN BOUT DE TEMPS QUE....

LA GRILLE! ELLE S'OUVRE!

28

LES VOILÀ ! ILS REVIENNENT ! OUVREZ ! OUVREZ-NOUS !! CAGOTS ! MONTREZ-VOUS LE NEZ !! MARMITEUX ! CAFARDS ! STROPIATS !

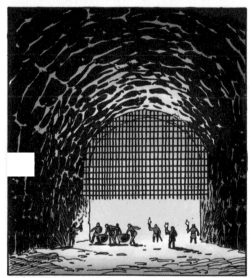

IL NE VA PAS Y ALLER !... IL EST PARALYSÉ PAR LA PEUR !
....
IL FAUDRAIT L'ENCOURAGER PEUT-ÊTRE ....

ÇA FAIT TROP LONGTEMPS QUE TU ATTENDAIS CE MOMENT ! VAS-Y !... IL EST TEMPS ! COURS !... COURS !... RATTRAPE LE TEMPS PERDU !!

ALLEZ ! UN PETIT EFFORT !!

ET VOILÀ !....
ÇA FINIT TOUJOURS
COMME ÇA !
....

ALLEZ !.... CHIPE ! CHOPE
CURE... CURE !!?....
ENLEVEZ LA
NOURRITURE !

..N'EMPÊCHE !..
IL LES A VUS !...
C'EST UNE BELLE
CONSOLATION !
....

DES CARREAUX !..
DES CARREAUX
D'ARBALÈTE !!
....

TU ES ENCORE LÀ..TOI !.. TU SUIS VRAIMENT TOUS LES "NOUVEAUX" COMME ÇA ?....

SÂARG !..SÂARG...
....
ÇA ME DIT QUEL. QUE CHOSE !.... J'AI DÉJÀ ENTENDU ÇA !...BIZARRE !

JE SORTIRAI D'ICI !..
...
BON DIEU !... JE SORTIRAI D'ICI !!

MAIS!.. QU'EST-CE QUE...

MMH!

BON SANG !... QUE S'EST-IL PASSÉ ?... JE N'AI PAS RÊVÉ !

MON COUTEAU !

ON TE L'A VOLÉ ?!... ...ÇA DEVAIT ARRIVER !

C'EST UN OBJET QUI SUSCITE TROP DE CONVOITISES DANS LA PRISON !!...

MAIS...

..PERSONNE NE L'AVAIT VU, CE COUTEAU !.... JE LE CACHAIS !

ICI,... TOUT LE MONDE A L'OEIL SUR TOUT LE MONDE !...... C'EST AUSSI IMPORTANT QUE DE BOIRE ET DE MANGER !..

TU AS PARLÉ AU **NARQUOIS** !.... PEUT-ÊTRE N'EST-CE PAS UNE BONNE FRÉQUENTATION !!...

.....TU N'AS PAS ENCORE L'OEIL !...

TANDIS QUE TOI, TU ES UN SPÉCIALISTE !

C'EST LUI QUI A CREVÉ L'OEIL DU CHAT QUE TU APERÇOIS DE TEMPS EN TEMPS !

CE N'EST PAS L'OEIL DU CHAT QUE J'AI CREVÉ !...C'EST PLUTÔT CELUI DU MITEUX ! ET J'ESPÈRE BIEN POUVOIR ME PAYER LE DEUXIÈME UN JOUR !

ET LE MITEUX ?.. C'EST QUI ? ....

UN FOU !.. UN MALADE RONGÉ PAR LE SCORBUT ET LA VERMINE !.... ..IL VEUT RENVERSER L'ORDRE, LE BEL ORDRE DU MOINE ET DE SON VALET !

L'ORDRE ?.. TU CAFOUILLES, CHIMPANZÉ !! TU PERDS PIED !!... SI TU VEUX PARLER DU POUVOIR SUPERSTITIEUX DE LA GROSSE MÉDUSE ENHUPONNÉE !!

TU N'ES QUE LE VALET DU MITEUX !!

ET TOI.. LE VALET DU VALET ! ....

CHIMPANZÉ ! NOOOOON !

AAAAAA

...BRAVE PETITE BÊTE... LÃÃ... LÃÃÃ !.... LE CHIMPANZÉ N'EST PAS ENCORE AU BOUT DE SES PEINES !...

ALORS.....
ET LE PETIT DERNIER..
.....
AAH! **183** PIERRES
DÉJÀ !!..

BON DIEU!..C'EST
PLUS POSSIBLE!!
JE NE VAIS QUAND
MÊME PAS CREVER
ICI !!

QU'EST-CE QUE C'EST
QUE CE CIRQUE !...
TOUT ÇA NE TIENT
PAS DEBOUT !

..FAUT QUE JE SORTE D'ICI!
JE DOIS TROUVER UNE
SOLUTION !...
....
C'EST ÇA !..UNE
SOLUTION !!

...ET ARRÊTER
DE PARLER
TOUT SEUL...
?

!

...QU'EST-CE QUE C'EST ?...

...C'EST À CAUSE DE LUI QUE TU ES ICI !...

UNE TRÈS GRANDE PARTIE DES GENS ENFERMÉS ICI ONT EU CETTE VISION !... UNE SORTE DE CHEVALIER.... ..TOUJOURS LE MÊME, À PEU DE CHOSES PRÈS !!...

...ET JE PENSE QUE C'EST POUR ÇA QU'ILS ONT ÉTÉ ENFERMÉS !...

...FASCINANT !!... MAIS... QUE... QUELLES CONCLUSIONS EN TIREZ-VOUS ?....

AUCUNE !

...AVANT D'ÊTRE ICI !... VOUS... N'ÉTIEZ PAS PEINTRE ?....

SI !... POURQUOI ?..

...VOTRE TABLEAU EST TOUJOURS À L'HÔTEL DES MARAIS, VOUS SAVEZ !...

...POURQUOI N'ESSAIE-T-ON PAS DE S'ÉVADER D'ICI ?

...LES MURS SONT D'UNE ÉPAISSEUR INCROYABLE !... TOUT A DÉJÀ ÉTÉ ESSAYÉ !... ET LES TENTATIVES TOUJOURS INFRUCTUEUSES N'ONT AMENÉ QUE DÉCOURAGEMENT ET DÉSESPOIR !!

.... SI BIEN QUE LE MOINE A FINI POUR LES INTERDIRE !... POUR LES REMPLACER PAR LE CULTE DE LA PATIENCE ET DE L'ESPOIR !!....

...IL PRÊCHE BIEN !...

...TOUTE ÉPREUVE A UNE FIN, MES AMIS !... LES TÉNÈBRES DE LA LONGUE NUIT NE PEUVENT EMPÊCHER LE JOUR DE POINDRE À NOUVEAU !!...

38

...ET C'EST PRÉCISÉMENT UN SOIR OÙ CETTE LONGUE NUIT FINISSAIT PAR TROP LUI PESER ..... QU'ARTHIS DÉCIDA DE METTRE LE PROJET QUI LUI RÉPUGNAIT TANT .... À EXÉCUTION ...

JE N'AI PAS LE CHOIX, DE TOUTES FAÇONS!

POUARRAH!...BON SANG!... ..POURTANT, CETTE FLOTTE DOIT BIEN VENIR DE QUELQUE PART!!

RIEN !....
UNE NUIT DE CAUCHEMAR POUR RIEN !....

AAAAAAAH !!

LE NARQUOIS !
LE NARQUOIS !

IL S'EST PENDU !

...PENDU ?!...
..ÇA M'ÉTONNE DE LUI !!

BIZARRE...

ALLEZ !....
DISPERSEZ-VOUS !!

N'Y TOUCHE PAS, VALET !....
..CE SONT LES HOMMES DU MITEUX QUI S'EN OCCUPENT !...

... EN TOUT CAS !....
SI TU CONTINUES À PRENDRE DES BAINS NOCTURNES DANS LA "BASSE NOIRE", TOI TU AURAS L'OCCASION DE LE REVOIR !....

LE NARQUOIS !....
..ENCORE UN QUI DISPARAÎT !....

41

QUATRE ANS D'EFFORTS ET DE PRÉCAU-TIONS INOUÏES POUR QUE, NI LE HIDÉUX, NI LE MOINE, NE PUISSENT SE DOUTER DE QUOI QUE CE SOIT !...

...VOUS ESSAYEZ DE VOUS ÉVADER... EN VOUS CACHANT... VOUS ?...LE VALET DU MOINE ?!

...IL A FALLU EN ARRIVER LÀ !.... CE FOU SADIQUE A FINI PAR SE PRENDRE À SON PROPRE JEU !...

IL SE CROIT RÉELLEMENT MOINE ..MAINTENANT !

MAIS !?.. IL NE L'EST PAS ?

TSS !.... C'EST LE VIEUX CUISINIER MUET QUI EST MOINE !.... QUAND IL EST ARRIVÉ, SA ROBE DE BURE A EXERCÉ UN CERTAIN ATTRAIT SUR LES PRISONNIERS
.....
DES PETITS RESTES DE RELIGION !...

ALORS CETTE IMMONDE CRAPULE LUI A VOLÉ LA ROBE ET A COUPÉ LUI-MÊME LA LANGUE DU MOINE POUR QU'IL NE PARLE PAS !.....

IL N'A PAS OSÉ LE TUER ? LA PITIÉ SANS DOUTE ?!

...PLUTÔT UN PETIT RIEN DE SUPERSTITION !...

..POURQUOI ME FAITES-VOUS CONFIANCE ?

CONFIANCE ?.... IL NE FAUT RIEN EXAGÉRER !!... J'AI BESOIN DE BRAS !..C'EST TOUT !..

VOUS N'ÊTES PAS DIFFICILE !.... ..POUR CE QU'IL EN RESTE !!...

...ALLONS !... PAS D'ATTENDRISSEMENT !.. IL SERT AUSSI BIEN SA RELIGION COMME ÇA !...

... ÉCOUTEZ, LE VALET !... ENTENDONS-NOUS !... JE NE VOUS AIME PAS !... D'UN CÔTÉ, VOUS FAITES CREVER DE PAUVRES BOUGRES DANS LES PENDULES... DE L'AUTRE, VOUS VOUS FAITES LE CHAMPION DE NOTRE LIBERTÉ !... ÇA NE COLLE PAS !...

...JE LE RECONNAIS... J'AI UNE NATURE ABRUPTE... INSAISISSABLE PARFOIS !...

....

...MAIS RASSUREZ-VOUS, LÀ, ELLE EST TOUT ENTIÈRE AU SERVICE DE NOTRE ENTREPRISE !...

MAIS..ATTENDEZ !...JE VENAIS VOUS PARLER D'AUTRE CHOSE !...

...UN NOUVEAU PRISONNIER !

OUI ?

LE TOUBIB !

VOUS ! ... MON FILS !.. EST-CE QUE MON FILS EST LÀ ??

...LE SEUL A AVOIR EU CETTE RÉACTION-LÀ !... ..IL N'EST PAS ÉTONNÉ !... ..PRESQUE CONTENT !... ..IL PARLE DE SON FILS... ..EXAMINE TOUS LES PRISONNIERS !...

DES CRIS!
...

QUE SE PASSE-T-IL?

LE CHIMPANZÉ!.. IL EST MORT! POIGNARDÉ!!

EST-CE QU'ON PRÉVIENT LE MOINE?

INUTILE!.. JE VAIS RÉGLER ÇA MOI-MÊME!..

NOM DE DIEU!! LE NARQUOIS! LE CHIMPANZÉ!... LÀ! ÇA VA ÉCLATER!

FAUT PAS SE LAISSER FAIRE!

CE SONT LES HOMMES DU MITEUX QUI ONT FAIT ÇA!...

MON COUTEAU! CELUI QU'ON M'A VOLÉ!

QUI VOUS L'AVAIT VOLÉ?

AUCUNE IDÉE!.. J'AI ÉTÉ ASSOMMÉ ET ÇA SE PASSAIT LA NUIT!...

LE MITEUX!! C'EST LUI QUI A TOUT MANIGANCÉ!

OUI!.. C'EST LUI QU'IL FAUT AVOIR!!

LES GARDES DU VALET S'ÉNERVENT!! ...ON VA AVOIR LA GROSSE BAGARRE!... ÇA VA FAIRE MAL!!

EH BIEN...SOIT!...
À LA VIOLENCE!...
IL FAUT RÉPONDRE PAR LA VIOLENCE!!
.....

SI NOS CALCULS SONT EXACTS, CETTE ÉPREUVE DE FORCE DOIT LARGEMENT TOURNER À NOTRE AVANTAGE !....

...ET CELA, À CAUSE D'UN SIMPLE COUTEAU JUDICIEUSEMENT PLACÉ ENTRE LES OMOPLATES D'UN PRIMATE ENNUYEUX !... N'EST-CE PAS, NARQUOIS !..

MHUI !... ET D'UNE ASTUCE VIEILLE COMME LE MONDE !...

CALMEZ-VOUS ! CALMEZ-VOUS !! SI NOUS NOUS BATTONS, NOUS ALLONS DROIT AU CARNAGE !

CE SERA UN TERRIBLE RETOUR À LA BARBARIE, À LA VIOLENCE QUI RÉGNAIT AVANT QUE N'ARRIVE LE MOINE !..

C'EST CE QUE VOUS VOULEZ ?

TANT PIS !! IL FAUT RÉGLER ÇA MAINTENANT !

SÂARG !

SÂARG !!.. LE TOUBIB !.... ÇA ME REVIENT MAINTENANT !.. ... C'EST LE NOM DE SON CHIEN !.....

QUI A CRIÉ SÂARG ?

ALLEZ, CHOPE! CHOPE! MANGE-LUI LES TRIPES!!

SA...SÂARG! ....

TUE! TUE!.. BOUFFE-LUI LA RATE!! ALLEZ SÂARG, FAIS VOIR TES CROCS!!

...EST-CE POSSIBLE?.

...GRAND DIEU!... ...EST-CE POSSIBLE?.

10 ANS!.... 10 ANS ET JE SAVAIS!... JE LE SAVAIS QU'IL VIVAIT, ENCORE.... ET QU'IL ÉTAIT DANS LES MARAIS!....

46

PLAINTS ET PLEURS
MYSTERS ET QUESTIONS
MORNE CHÂTEL
DURE PRISON
PLAINTS ET PLEURS
MYSTERS ET QUESTIONS
MÊME MOL
ESPOIR N'EST
QU'ABUSION......

OUI, ARTHIS JOLINON LE SAVAIT MAINTENANT.....
LA BRUME DES MARAIS ÉTAIT LA CAUSE DE TOUT !.....
CETTE BRUME ÉPAISSE, DANGEREUSE, TELLEMENT INSIDIEUSE ET IMPRÉVISIBLE QU'ELLE AVAIT FINI PAR ENVAHIR SES PENSÉES, CONTRÔLER SES SOUVENIRS, AVANT DE SE TRANSFORMER EN UNE MENACE TERRIBLE, HARCELANTE, OBSÉDANTE COMME LES QUELQUES MOTS QU'IL NE PARVENAIT PAS À OUBLIER :

"ICI, ON DEVIENT FOU TOUT DE SUITE, OU TRÈS LONGTEMPS APRÈS..."

SCÉNARIO : P. MAKYO
DESSINS : L. VICOMTE
COULEURS : J. ROBERT
L. VICOMTE

LA VISION FANTASMATIQUE DE LA JEUNE FILLE BRUNE POUVAIT-ELLE ENCORE QUELQUE CHOSE POUR LUI ?
......
OU BIEN SON DERNIER ESPOIR ÉTAIT-IL LE TUNNEL DU VALET ?

CES QUESTIONS TROUVERONT À N'EN PAS DOUTER UNE RÉPONSE DANS LE SECOND ÉPISODE DE CETTE BALADE AU BOUT DU MONDE :

LE GRAND PAYS.

MAKYO   VICOMTE

BALADE AU BOUT DU MONDE

2·LE GRAND PAYS

Glénat

ATTENDEZ, MONSEIGNEUR!
RESTEZ!...
CA VA MIEUX!...
JE CROIS QUE JE PEUX
CONTINUER...OÙ...OÙ
EN ÉTAIS-JE.....AH!...
LE TUNNEL...OUI!...JE
ME RAPPELLE!...C'EST
"LE VALET" QUI L'AVAIT
CREUSÉ!.....
IL AVAIT TOUT ORGANISÉ!..
LE MALHEUREUX....
..QUATRE ANS D'EFFORTS
....
S'IL AVAIT PU SE DOUTER!
....

IL VA MAL!....

PARDON?...

IL VA MAL!.... COMME VOUS NE ME
DEMANDEZ PAS DE NOUVELLES DE SAARG
JE VOUS EN DONNE QUAND MÊME!....
....JE VOUS SIGNALE AUSSI QUE C'EST
LE DOUZIÈME À CREVER PAR LÀ!...

VOUS AVEZ TORT DE VOUS
EN PRENDRE À MOI, ARTHIS!
...VOUS NE ME CONNAISSEZ
PAS!....JE...

OH!SI!...JE TE CONNAIS
VALET!...
TU ES PRÉOCCUPÉ!....
MAIS UNIQUEMENT PAR
LA PROFONDEUR DE
TA GALERIE!!...

CE N'EST PAS
VRAI!!...

JE ME MAINTIENS EN
VIE!...IL NE FAUT PAS
PERDRE ESPOIR, ARTHIS!
...C'EST TOUT CE QUE
JE SAIS... IL FAUT
Y CROIRE!
Y CROIRE!!

C'EST ÇA!...ON CREUSE
ET TU CROIS!...QU'EST-
CE QU'ON FERAIT SANS
TOI!....

EN TOUT CAS, SAARG,
MERCI POUR LUI,
N'EST PAS PRÈS DE
REVENIR PATAUGER
DANS CETTE MALARIA..
...SALETÉ DE TROU
À RATS!..

PARLE...PARLE-
MOI ENCORE
PETIT!...
DIS-MOI!...
EST-CE QUE TU
SAIS, TOI, POUR-
QUOI NOUS SOMMES ENFER-
MÉS ICI?....
POURQUOI ET
PAR QUI?...

PE...PERSONNE
...PÈRE...NE
LE SAIT...C'EST..
...UN GRAND
MYSTÈRE...OUI..
UN GRAND MYSTÈRE
...TERRIBLE...
ÉPUISANT!...

IL...IL EST PARTOUT!...IL RÔDE, LÀ
...PAR LÀ!...ET LÀ-BAS!...
PARTOUT!...ATTENTION!..
NE...N'Y CROIS PAS..FERME
LES YEUX, FERME LES YEUX..
SI TU NE VEUX PAS
TOMBER DANS SON JEU!

CALME-TOI PETIT!...
CALME-TOI?...
JE SUIS LÀ!...

JE....JE PENSAIS À TOI!.. ET AU CHIEN AUSSI!..
À SAÄRG!...

VOUS ÉTIEZ INSÉPARABLES..
QUAND TU ÉTAIS PETIT,
AVEC LUI, PERSONNE NE
POUVAIT T'APPROCHER!...

IL...IL ME PROTÉGEAIT!.. ICI,
....JE....JE NE SAIS PAS
POURQUOI...MAIS C'EST LUI
QUE J'ATTENDAIS...C'EST
IDIOT!... MAIS, J'ÉTAIS SÛR
QU'IL VIENDRAIT ME...ME
DÉLIVRER!.. TA LANGUE
NE SE DÉCOLLAIT QUE POUR
L'APPELER!... SAÄRG....
SAÄRG!...

IL NE REVIENDRA
PLUS, PETIT!..
MAIS IL M'A BIEN
DÉFENDU....

IL EST REVENU!!

QUI?..

..ET LE MOINE...ET SON
VALET... ILS ESSAIENT DE
LE PLUMER!... HÉ HÉ!...
JE LES VOIS!...ILS N'Y
ARRIVENT PAS!...TA!TA!
.....
À CAUSE DU MITEUX
ET DE SON NARQUOIS
HA! HA!....

LÀ-BAS! LE MYSTÈRE!
..SON BEC CROCHU!!..

JE L'AI VU!!

QUE FAITES-VOUS?
MALHEUREUX!...
ARRÊTEZ! LA
LUMIÈRE VOUS
BRÛLERA LES YEUX!
J'AVAIS POURTANT
INTERDIT!!

ALORS?... J'AVAIS MENTI?...
TU LE VOIS BIEN!..TON VALET
T'A TRAHI!....

C'EST FAUX!..
C'EST FAUX!..
..FAUX!!

2

MAIS..REGARDE!.VOYONS!..REGARDE!...
C'EST VRAI!...ILS CHERCHENT À
S'ÉVADER!...TOUS!...AVEC LE
VALET!....TON PRÉFÉRÉ!...TON
VALET QUI TE HAIT!.....

NOON!

MAIS SI, VOYONS!....
IL TE HAIT!...ET.JE
VAIS TE DIRE, MOI,
POURQUOI IL NE T'A
PAS ENCORE TROUÉ
LE GOSIER!...
DEVINE!...
DEVINE CE QUI
T'A SAUVÉ?

NON!.. NON...
JE....JE NE
SAIS PAS!..

TES SERMONS, MON GROS!
..OUI,TES SERMONS!...
FIGURE.TOI QUE LE VALET
AIME T'ENTENDRE
CHANTER!...
ÇA PEUT D'AILLEURS
ENCORE TE SAUVER!
....

VAS-Y SERMONNE-LES!... DIS LEUR
À TOUS DE SE TIRER!... C'EST POUR
NOUS QU'ILS ONT TRAVAILLÉ!.. ALLEZ!...
PARLE!..MAIS PARLE BIEN!...LE
NARQUOIS EST SENSIBLE!...TU VAS
LE VOIR!...JE SUIS SÛR QUE TU PEUX
ENCORE L'ÉMOUVOIR!....

?

EH! REGARDEZ!
LE MOINE!...
ET DERRIÈRE LUI
LE MITEUX!

ET!...OH!
LE NARQUOIS

QUOI?
LE NARQUOIS?

LE NARQUOIS?

QUOI?

LE NARQUOIS!!
ÇA ALORS!!...

...LES...LES
MASQUES SONT
TOMBÉS!....
..L'AVENIR EST
SOMBRE....
QUAND LES
LOUPS SONT
PRÊTS À SE
DÉCHIRER!...
MAIS IL EST PLUS
SOMBRE ENCORE
..SI ON ESSAIE...

MES... MES ENFANTS!.
....
..ENFANTS DE L'OMBRE!..
..NOTRE PASSAGE DANS
L'ABÎME NOUS..NOUS
A FAIT OUBLIER..
NOTRE HUMANITÉ!
....

DE
RECULER!

3

C'EST À CE MOMENT-
LÀ, MONSEIGNEUR...
QUE LES CHOSES
SE SONT PRÉCIPITÉES
...
OUI, À CE MOMENT-LÀ!

QUAND LE MOINE
ET LE MITEUX SE
SONT EMPOIGNÉS...

TOUT A BASCULÉ...

AAH!...NARQ..
NARQUOIS!..
À..À MOI!!

SHHHHH

MAINTENANT,
LE VRAI BAL
VA POUVOIR
COMMENCER!..

LE VALET!
LE VALET!..
OÙ EST-IL?

IL ÉTAIT
PAR ICI...

LÀ!

IL EST MORT..

EH!.. LÀ!...
REGARDEZ!!
····

ARRÊTEZ!
ARRÊTEZ!

LA LIBERTÉ!!
C'EST LA LIBERTÉ!
...ET ELLE A TUÉ
LE VALET!!!

LA...LA
LIBERTÉ..

LE VALET...
MORT...

QUAND J'Y PENSE... LA TÊTE QUE NOUS DEVIONS FAIRE....
VOUS SAVEZ.... CE N'EST PAS SUR LA LIBERTÉ QUE NOUS AVONS
DÉBOUCHÉ !...UNE PRISON...OUI, C'EST DANS UNE AUTRE
PRISON QUE NOUS ARRIVIONS !....

EH !.. ATTENDS ! ATTENDS !

EH ! TOI !.. LAISSE-LÀ !

C'EST À MOI QUE TU PARLES, MIGNON ?

JE VAIS TE PERCER LE GRAS !!

C'EST CE QU'ON VERRA !!

L'EXPRESSION DU MOINE ÉTAIT JUSTE !.... ARTHIS SE LA RAPPELAIT :
"NOUS AVONS PERDU NOTRE HUMANITÉ !"

EN LUI-MÊME, IL LA SENTAIT TRÈS
NETTEMENT VACILLER ....

IL AVAIT ENVIE DE SE BATTRE ....
DE COGNER !.....
IL SE RETENAIT .....IL SE RETENAIT
MAIS IL ENRAGEAIT !......

FOUS ! ILS SONT TOUS FOUS !.
... ET LES FEMMES !...
FOLLES ...

LES FEMMES !..SERAIT-IL POSSIBLE
QUE.... LA FEMME BRUNE DES
MARAIS ... SI... SI ELLE ÉTAIT LÀ ....

LA FEMME
BRUNE ....

RIEN QUE D'Y
PENSER ..IL
REPRENAIT UNE
BOUFFÉE DE
L'AIR PUR DES
MARAIS .....

NON...NON !
. ...
JE...JE NE
PEUX PAS
Y CROIRE..

EN TRÈS PEU DE TEMPS, LA HARGNE ET LA VIOLENCE DU NARQUOIS SUBMERGENT COMPLÈTEMENT ARTHIS.....

JE VEUX TE VOIR LA CERVELLE, BLONDINET!!

DÉSOLÉ NARQUOIS CE N'EST PAS ASSEZ GENTIMENT DEMANDÉ!!

TU AS EU TORT, BLONDINET, DE NE PAS TE METTRE DU BON CÔTÉ!....

JE SUIS TÊTU, TU SAIS....J'AI DIT QUE JE VOULAIS LA VOIR....; ET JE LA VERRAI!...

....

A CE MOMENT-LÀ
J'AI BIEN CRU
QUE POUR MOI
LA PAGE ÉTAIT
TOURNÉE
MONSEIGNEUR..

....

RECROQUEVILLÉ,
J'ATTENDAIS ...
J'ATTENDAIS LE
POINT FINAL ...

JE N'EN REVIENS
PAS ENCORE ....

QUAND JE
PENSE À CE
QUI M'A SAUVÉ !

.....

LE NARQUOIS N'AVAIT
PAS TRÈS BIEN COMPRIS
...À QUEL POINT...
LE CHAT BORGNE ET LE
MITEUX ÉTAIENT UNIS...

C'EST POUR ÇA...
...
SEULEMENT POUR
ÇA QU'IL SUT
QU'IL ALLAIT
PAYER LE PRIX
.....
IL N'AVAIT PAS
COMPRIS ....

A CE MOMENT-LÀ
J'AI BIEN CRU
QUE POUR MOI
LA PAGE ÉTAIT
TOURNÉE

...C'EST VOUS !... C'EST BIEN
VOUS QUI ÉTIEZ
DANS LES MARAIS !..

18

J'AI....J'AI TELLEMENT...

..TELLEMENT....

ARRÊTE DE PARLER.... BLONDINET !
....J'AI..TELLEMENT" MOI AUSSI ...
...
LAISSE ALLER ....

...ÇA Y EST !...CETTE FOIS...POUR TOI...C'EST LA LIBERTÉ...

C'EST SÄÄRG !... TON CHIEN !... TON CHIEN !.... REGARDE PETIT.... C'EST LUI !...

IL EST VENU TE CHERCHER !....IL VA T'EMMENER ..... LOIN ... LOIN ...TU LE REJOINS !.... COURAGE, MON GARÇON, N'AIE PAS PEUR !... MAINTENANT.... JE LE SAIS, VOUS NE SEREZ, PLUS SÉPARÉS !...

EH BIEN, IL NE NOUS RESTE PLUS QU'À VIVRE HEUREUX LONGTEMPS ET TRANQUILLEMENT DANS LA MÊME CAGE !...

OUI !... MAIS MAINTENANT ON EST DEUX !... ...ÇA CHANGE QUAND MÊME LES RÈGLES DU JEU !..

.... SAUF QUE TOUT ÇA N'EST PAS UN JEU !... NOUS SOMMES TOUJOURS ENFERMÉS !... IL NE FAUT PAS L'OUBLIER !... ET POURQUOI ? POURQUOI ?

CE MYSTÈRE EST INSENSÉ !

ON EST BIEN, ARTHIS !... PROFITONS-EN, POUR LE MOMENT, TOUTES CES QUESTIONS, ESSAIE PLUTÔT DE LES APPRIVOISER ! FAIS COMME MOI... CHARME-LES !..

PLAINTS ET PLEURS, MYSTÈRS ET QUESTIONS MORNE CHÂTEL, DURE PRISON, PLAINTS ET PLEURS . MYSTÈRS ET QUESTIONS MÊME MOL ESPOIR N'EST QU'ABUSION..

C'EST QUOI, CE POÈME ?... IL EST DE TOI ?....

MOI ? OH NON !... IL EST DE "GRAND-PAYS"

GRAND PAYS ?

OUI !.. UNE VIEILLE FEMME QUE NOUS APPELONS COMME ÇA... C'EST UN POÈME DE SON PAYS.. UN PAYS QUI, SELON ELLE, N'EST PAS LE MÊME QUE LE NÔTRE !....

COMMENT ÇA ?...

...... ET ELLE DIT QUE NOUS, NOUS SOMMES DU GRAND PAYS "!.... ... C'EST LA RAISON DE CE SURNOM !...

... DE PLUS, JE CROIS,.. JE SUIS MÊME SÛRE QU'ELLE CONNAÎT LE POURQUOI DE NOTRE EMPRISONNEMENT ICI !....

ELLE CONNAÎT LE SECRET !... MAIS NE L'A JAMAIS DÉVOILÉ !

MAIS POURQUOI ? POURQUOI ? POURQUOI ?

ARTHIS BLONDINET, TU ME PLAIS, TU SAIS ..... C'EST VRAI, TU N'ES PAS MAL AVEC TON PETIT NEZ !..

MAIS, JE T'EN PRIE !.. ARRÊTE DE RÉPÉTER TOUT LE TEMPS POURQUOI !.. ATTENDS DE VOIR "GRAND PAYS"! TU COMPRENDRAS ! ....

...QUE LA GRÂCE NE SOIT POUR NOUS TARIE, NOUS PRÉSERVANT DE L'INFERNALE FOUDRE ....

...NOUS SOMMES MORTS, ÂME NE NOUS HARIE MAIS PRIEZ DIEU QUE TOUS NOUS VEUILLENT ABSOUDRE.

ELLE RÉCITE BEAUCOUP DE POÈMES, ELLE EN CONNAÎT DES TAS !... ...EN PLUS...ELLE NE PARLE PAS TOUT À FAIT COMME TOI ET MOI !...

ARTHIS, VOILÀ "GRAND PAYS", NOTRE MÈRE À TOUS !...CELLE QUI SAIT POURQUOI NOUS SOUFFRONS !... QUI SAIT MAIS QUI SE TAIT !

TU CROIS VRAIMENT QU'ELLE SAIT ? ...ELLE N'A POURTANT PAS L'AIR TRÈS ÉVEILLÉE !...

NE T'Y FIE PAS !... ELLE EST MALIGNE, "GRAND PAYS"... ELLE TE VOIT !

MADAME !... MADAME... ÉCOUTEZ-MOI ..., POURQUOI...

EUH !... PARDON ! ...IL M'A ÉCHAPPÉ !

TU PEUX Y ALLER, ARTHIS !... TU SERAS OBLIGÉ D'EN METTRE UN DE TOUTE FAÇON DANS LA QUESTION QUE TU VAS LUI POSER !...

MADAME !... SI VOUS SAVEZ POURQUOI NOUS SOMMES ICI ..... VOUS NE DEVEZ PAS LE CACHER !...VOUS N'AVEZ PAS LE DROIT !

HÉ HÉ, MOUCHE EN LAIT !... HÉ... UNIQUES QU'ON MIX !

PETIT ÉTOURDI !... QUE T'EN CHAUT DE SAVOIR QUI TE SAISIT !.... LA LANGUE SEULE NE PEUT SOUFFIRE À FAIRE FONDRE LE SOUDR !... HÉ !...

HÉ !... GENS DU GRAND PAYS NE DOIVENT PAS SAVOIR ! ....

15

...... N'EMPÊCHE, MONSEIGNEUR, SI JE SUIS LÀ, À VOUS RACONTER, TOUT CE QUI M'EST ARRIVÉ, C'EST PARCE QUE J'EN SUIS SORTI !...

.... ET JE DOUTE QUE VOUS PUISSIEZ DEVINER COMMENT J'AI PU M'EN TIRER !!..

......

ÇA N'A PAS L'AIR D'ALLER, LÀ-BAS !...

OUI !.. LA VIE A REPRIS !... MAIS CE N'EST PLUS LA RECHERCHE DU POUVOIR QUI FAIT RAGE !... C'EST LA QUERELLE DE MÉNAGE !

MAIS, DIS-MOI !... CETTE FOSSE !... POUR VOUS AUSSI C'EST UN CIMETIÈRE ? ....

OUI ! ON L'APPELLE L'EAU ÉTERNELLE..

VOUS DONNEZ DANS LA POÉSIE !... DE L'AUTRE CÔTÉ, C'ÉTAIT LA BASSE NOIRE ....

BASSE NOIRE ... POUAH !... PAS TRÈS JOLI !...

BAH !.. MAIS... TOUT À COUP J'Y PENSE !... EST-CE QUE QUELQU'UN A DÉJÀ PLONGÉ LÀ-DEDANS, POUR VOIR ?

PLONGÉ LÀ-DEDANS ?.... MAIS TU ES FOU !.. QUELLE HORREUR !!..

ARTHIS !! QU'EST-CE QUE TU FAIS ?

ARTHIS !... NON ! TU ES FOU !! C'EST UN BOUILLON DE CULTURE !!

J'AI DÉJÀ PLONGÉ DANS LA BASSE NOIRE !... JE PEUX BIEN ESSAYER L'EAU ÉTERNELLE !

... Y'A UNE CHANCE, UNE TOUTE PETITE CHANCE !.....FAUT PAS LA LAISSER PASSER !.....

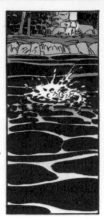

Y'EN A UN!!

UN QUOI?

UN CONDUIT!

UN CONDUIT!.. ET ALORS..... TU NE SAIS PAS OÙ IL MÈNE!

JUSTEMENT .....JE VAIS ESSAYER DE LE SAVOIR !!

ET... ET SI C'EST UN CUL-DE-SAC.... EST-CE QUE TU POURRAS REVENIR ?

DE TOUTE FAÇON, JE VAIS ESSAYER ! ..C'EST INESPÉRÉ !..

SI TU NE ME REVOIS PAS!... C'EST QUE JE SUIS PASSÉ!... IL N'Y A PAS À S'INQUIÈTER!... JE RÉUSSIRAI!......... .....ET....JE REVIENDRAI !....

BON DIEU DE BON DIEU !!.... JE N'OSAIS PAS LE REDOUTER !! ....

...DES CONDUITS PLUS PETITS !!.... JE NE PEUX PLUS RETOURNER .... JE DOIS EN PRENDRE UN !! ....

...PAS LE TEMPS DE CHOISIR !... CELUI-LÀ !! ....

SAU..SAUVÉ !...
MAIS BON SANG !..
PAS ENCORE LA
SORTIE !!.....

TOMP
TOMP
TOMP

DES PAS !...
ON VIENT
PAR ICI !
....

?
QU'EST-CE QUE
C'EST QUE ÇA ?
....

19

PENSEZ À MON ÉTONNEMENT, MONSEIGNEUR, QUAND J'AI VU POUR LA PREMIÈRE FOIS CE GENRE D'ACCOUTREMENT
.....
JE N'ÉTAIS POURTANT QU'AU TOUT DÉBUT D'UNE LONGUE SÉRIE DE SURPRISES
.....

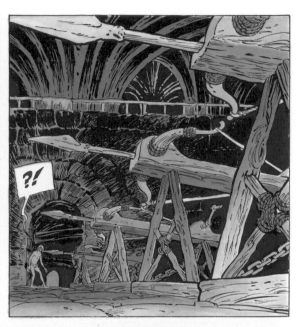

?!

.... LES ARBALÈTES !... LA GRILLE .... JE SUIS DE L'AUTRE CÔTÉ DE LA GRILLE .... ET JE SUIS VIVANT !!....

AÏE !... LA PORTE EST GARDÉE ...

CLiiNK

QU'EST-CE
QUE C'ÉTAIT ?
...

UNE
DAGUE !!

ET
PERSONNE
....

UN RAT
SANS DOUTE
....

HÉ HÉ !...
IL N'Y A BIEN
QU'EUX À LA
FUITE PAR ICI !
....

AAAAH...
LA LUMIÈRE...

AAAH !...JE...
JE NE VOIS
RIEN !...

LA SOLUTION !....
LA SOLUTION DU MYSTÈRE !
....
.... CACHÉE
PAR LA LUMIÈRE !!

21

CE.,.
CE N'EST
PAS POS-
SIBLE!...
UN..UN
CHÂTEAU!

C'EST LA LUMIÈRE
...OU L'AIR ...OU
LES DEUX QUI ME
RAMOLLISSENT LE
CERVEAU... FF...ÇA
VA REVENIR...IL FAUT
...FAUT QUE JE RESPIRE..

C'...
C'EST
ENCORE
LÀ!...

...ALORS, JE NE RÊVE PAS!
J'AI...J'AI LA FIÈVRE...
MAIS JE NE RÊVE PAS!!

J'AI L'IMPRESSION QUE
MES BAIGNADES DANS
LA BASSE NOIRE ET DANS
L'AUTRE CIMETIÈRE ...
M'ONT SÉRIEUSEMENT
COUPÉ LA RESPIRATION!...

JE....JE DOIS
CONTINUER...
ET...ET FINIR
MON ÉVASION!

22

...UN CHÂTEAU! LES SOLDATS... ET... ET CE VILLAGE!... ...LE...LE MOYEN ÂGE!...

JE.... ...JE DOIS RÉAGIR ...ET... SORTIR ...SORTIR D'ICI!!

UNE FORÊT! ...PEUT-ÊTRE DERRIÈRE LES MARAIS!

J'AI LA...LA TÊTE QUI ÉCLATE ...LA FIÈVRE... ...JAMBES MOLLES ...JE...JE NE VAIS PAS ALLER LOIN!

AU MÊME MOMENT, PLUS LOIN DANS LES BOIS....

MONSEIGNEUR, VOUS...

OUI?..EH BIEN! QUOI?

23

LES CHIENS, MONSEIGNEUR .... LES CHIENS... DANS MA DEMI.CONSCIENCE JE LES ENTENDAIS ABOYER !.. ....

VOUS ... VOUS AVEZ FRANCHI LES LIMITES ... MONSEIGNEUR ....

MILLES PARDONS, MONSEIGNEUR.! LES...LES CHIENS NE FONT PAS LA DIFFÉRENCE !!...

IL VOUS APPARTIENT DE LA FAIRE VALETAILLE !!

LES LIMITES !... JE LES CONNAIS, MISÉRABLES !!.. ..... MON PÈRE ET MOI LES AVIONS FIXÉES !!...JE N'AI PAS L'INTENTION DE M'ENVOLER !!

ÉCOUTEZ !! ...DES ABOIEMENTS DU CÔTÉ DE GALLVAUX !!

VITE !!

ARF ARF

QU'EST.CE QUE ? ..UN CHIEN !!

CETTE FOIS !..JE... JE SUIS PERDU !!

ЯЯЯЯЯЯЯЯ ЯЯЯЯ

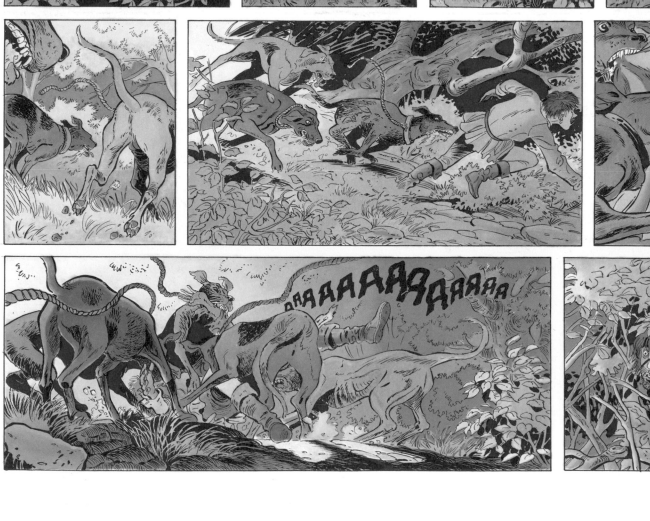

TARD DANS LA SOIRÉE...

ALORS ?!

UN DRAME, MONSEIGNEUR !! QUELQUE CHOSE D'IMPRÉVISIBLE !!

INCOMPRÉHENSIBLE ! MYSTÈRE ET MALCHANCE À LA FOIS !!

À LA FIN ! CRACHEZ VOTRE VENIN !

EH BIEN VOILÀ !...TOUT AVAIT MARCHÉ COMME PRÉVU !...NOUS AVIONS RÉUSSI À DROGUER LA MOITIÉ DES GARDES... VOUS EN AVIEZ ATTIRÉ UNE PARTIE AVEC LEURS CHIENS PAR LA COLLINE DE VAUD....

ET, VERS LE CHEMIN DE GOIS, ARNAUD AVAIT RÉUSSI À SE CACHER HORS DES LIMITES AUTORISÉES... ...IL ALLAIT RÉUSSIR SON ÉVASION QUAND...

QUAND QUOI ?

UN HOMME !...UN INCONNU...EST APPARU TOUT À COUP, DES CHIENS ACCROCHÉS À SES GUENILLES..... IL A CROISÉ ARNAUD ET A DISPARU !!...

HÉLAS, MONSEIGNEUR, C'EST ALORS À VOTRE AMI QUE LES CHIENS S'EN SONT PRIS....

ARNAUD EST MORT ! .... TOUT EST À REFAIRE ...

MONSEIGNEUR... QUE FAITES-VOUS ?

MYSTÈRE OU MALCHANCE ?.... JE VEUX SAVOIR !... JE VEUX SAVOIR CE QUI S'EST PASSÉ ! ....

LE CHEMIN DE GOIS...

...L'HOMME ÉTAIT POURSUIVI PAR LES CHIENS!..
....
APRÈS CE QUI S'EST PASSÉ... IL Y EST PEUT-ÊTRE RESTÉ CACHÉ!...

PAR DIEU!! JE L'AURAI! ET JE SAURAI!!

TUDIEU!

LÀ-BAS! MON GIBIER! JE L'AI LEVÉ!
....

MISÉRABLE GUEUX!! TU AS CAUSÉ LA MORT DE MON MEILLEUR COMPAGNON!!

TON NOM! ... TON NOM AVANT DE MOURIR!!

LE... LE PAYS... ... LE GRAND PAYS ....

..JE... JE SUIS DU ...GRAND PAYS..

VOILÀ, MONSEIGNEUR... MON RÉCIT S'ARRÊTE LÀ... JE VOUS AI TOUT DIT... LES MARAIS, LA PRISON ..L'ÉVASION ...LE RESTE JE... ..JE NE M'EN SOUVIENS PLUS.. JE ME SUIS RÉVEILLÉ ICI ...

OUI MONSEIGNEUR! ...JE ME SUIS RÉVEILLÉ ICI! ... QUE S'EST-IL PASSÉ?... ...OÙ SUIS -JE?... QUI ÊTES VOUS?... VAIS -JE ENFIN SAVOIR?.....

VOUS M'AVEZ RACONTÉ UNE HISTOIRE, MON AMI. .....POUR QUE NOUS PUISSIONS NOUS COMPRENDRE, IL FAUT QUE CÉANS, L'ON VOUS EN CONTE UNE AUSSI!....

IL FAUT QUE JE VOUS PARLE DES ORIGINES ÉTRANGES DE NOTRE PETIT PAYS!...

PETIT ROYAUME, PLUTÔT, PUISQU'IL EST NOMMÉ ROYAUME DE GALTHÉDOC

25

À L'INTÉRIEUR DE CE RÉSEAU INEXTRICABLE D'ARBRES, DE RONCES ET DE MARÉCAGES,

IL Y A EN FAIT UN PETIT PAYS FERTILE QUI A LONGTEMPS SERVI D'ABRI ET DE CACHE AUX HABITANTS DE LA RÉGION PENDANT LE HAUT MOYEN ÂGE...
...À L'ÉPOQUE DES INVASIONS BARBARES .....

UN CHÂTEAU FÉODAL AVAIT MÊME ÉTÉ CONSTRUIT À L'INTÉRIEUR DE CETTE ENCLAVE PROTÉGÉE ....

.... AUX ALENTOURS DE 1460, UN FILS BÂTARD DU DUC **RENÉ D'ANJOU**, LE FAMEUX "**ROI RENÉ**", OBTINT DES SUBSIDES DE SON PÈRE POUR FAIRE RESTAURER DISCRÈTEMENT ET AGRANDIR MÊME LE VIEUX CHÂTEAU OUBLIÉ ..
. . . . .

À CE MOMENT, LE **BON ROI RENÉ**, POÈTE ET AMI DES ARTS, NE CONNAISSAIT PAS ENCORE LES INVRAISEMBLABLES PROJETS DE SON FILS .....
INTELLIGENT, VIF ET ÉRUDIT, **JOACHIM**, (C'ÉTAIT SON NOM) AVAIT POUR AMI **JEHAN DE TEMPLE**, TRADUCTEUR DE NOMBREUX PHILOSOPHES GRECS....

JOACHIM ET **JEHAN**, ÉTAIENT TOUS DEUX PASSIONNÉS PAR CELUI QU'ILS JUGEAIENT LE PLUS GRAND D'ENTRE EUX :
EMPHÉDOCLE D'AGRIGENTE...

EMPHÉDOCLE EST ENTRE AUTRES À L'ORIGINE DE LA THÉORIE DES 4 ÉLÉMENTS ....
EAU, TERRE, AIR, FEU ....

DE L'ÉTUDE DE SON MAÎTRE GREC, **JOACHIM** FINIT PAR DÉGAGER UNE IDÉE MAÎTRESSE ....
LES 3 PREMIERS ÉLÉMENTS SONT STABLES ....
C'EST LE DERNIER, LE FEU, QUI CORROMPT !....
LES CITÉS ET LES EMPIRES SE FONT ET SE DÉFONT À CAUSE DU FEU ...

LE FEU DE LA HAINE, DU DÉSIR DE TOUJOURS PLUS DE POUVOIR ...
ET TOUJOURS PLUS DE RICHESSE ....

DANS CES MARAIS OÙ LA RÉUNION DES 3 PREMIERS ÉLÉMENTS EST PARFAITE, EAU, TERRE, AIR, LE DISCIPLE D'**EMPHÉDOCLE** CRUT VOIR UN SIGNE .....

COUPER UN PETIT ROYAUME DU RESTE DU MONDE, C'ÉTAIT SE SOUSTRAIRE À TOUS LES DÉSIRS DE PUISSANCE ET DE GUERRE .....

CRÉER UNE PETITE HARMONIE OÙ CHACUN SERAIT À SA PLACE ET FONCTIONNERAIT EN ROUAGE JOYEUX DE LA COMMUNAUTÉ !
. . . . . .

JOACHIM AVAIT DÉJÀ CONVAINCU UN CERTAIN NOMBRE DE SES AMIS ET CE SONT LES ÉVÉNEMENTS DE 1465 QUI ACCÉLÉRÈRENT LE MOUVEMENT !....

CETTE ANNÉE-LÀ, LE DUC DE BRETAGNE FRANÇOIS II CONCLUT UNE ALLIANCE AVEC LES ANGLAIS, LE DUC DE BOURGOGNE, LES AUTRES GRANDS SEIGNEURS COMME LE DUC D'ARMAGNAC, DE BOURBON, FOIX, ET SURTOUT LE JEUNE CHARLES, DUC DE BERRY, ET FRÈRE DE LOUIS XI ....
LE PÉRIL LE PLUS GRAND DE TOUT LE RÈGNE DU PETIT ROI MALINGRE ET MALIN !

DANS LA CONFUSION QUI SUIVIT LA BATAILLE DÉCISIVE DE MONTHÉRY, JOACHIM ET SES PROCHES EN PROFITÈRENT POUR FUIR SECRÈTEMENT .....
... ET DISPARAÎTRE DE "L'ODIEUX SÉJOUR DE MASSACRES ET DE HAINE, D'OEUVRE DE DISSOLUTION," DE COMPLOTS ET TOUTES AUTRES ESPÈCES DE MAUX" ....

AVEC SES FIDÈLES AMIS, LEURS SERVITEURS ET QUELQUES FAMILLES DE PAYSANS ET D'ARTISANS, ILS PRIRENT LE CHEMIN DE LEUR RETRAITE .....
C'ÉTAIT LE 31 JUILLET 1465 .....

LE 7 AOÛT, IL FONDAIT LE ROYAUME DE GALTHÉDOC ET DEVENAIT LE 1er SOUVERAIN SOUS LE NOM DE JOACHIM 1er.

EN FAIT, SON ROYAUME, NÉ D'UNE THÉORIE PHILOSOPHIQUE, DANS LA PRATIQUE NE FONCTIONNA QUE JUSQU'À SA MORT...
C'EST ALORS QUE "L'ORDRE ÉTERNEL ET LA RAISON FATALE QUI GOUVERNENT L'UNIVERS" RAMENÈRENT LE FEU EN GALTHÉDOC ....

EN EFFET, C'EST LA PERSONNALITÉ RAYONNANTE DE JOACHIM 1er QUI ÉTAIT GAGE DE PAIX, NON LE FAIT QUE SON ROYAUME SOIT COUPÉ DU RESTE DU MONDE ....

BREF, IL Y EUT À SA MORT, INTRIGUES ET CONFLITS POUR LA SUCCESSION ... 3 PETITS CHÂTEAUX FURENT CONSTRUITS .... ET, EN 1682 ... IL Y EUT UN GRAND ÉVÉNEMENT EN GALTHÉDOC .....

NOUS EÛMES NOTRE PREMIÈRE GUERRE

LA SITUATION MAINTENANT EST STABLE, MAIS COMPLIQUÉE ET FRAGILE.... IL Y A UN ROI : JEHAN XI ET TROIS PETITS SEIGNEURS IMPÉTUEUX QUI S'Y OPPOSENT SANS CESSE !...

JE SUIS LE DAUPHIN ARGON...LE FILS DE JEHAN XI ... MA SITUATION EST SPÉCIALE... JE SUIS...À L'ÉCART... POUR...POUR DES RAISONS QUE JE NE TIENS PAS À EXPOSER ICI...

QUAND MÊME !... JE N'EN REVIENS PAS !...UN ROYAUME !...UN ROYAUME OUBLIÉ !..C'EST IMPENSABLE !....MAIS...DEPUIS TOUT CE TEMPS, IL N'Y A PAS EU DE TENTATIVE POUR REPRENDRE CONTACT AVEC L'EXTÉRIEUR ??

VOUS POSEZ LE DOIGT SUR LA BLESSURE ! LE POINT A TOUJOURS ÉTÉ CONTROVERSÉ ICI !...IL A MÊME FAIT L'OBJET DE LUTTES, DE COMPLOTS ET DE TYRANNIE DE TOUS TEMPS !...ET LES ANS, LES SIÈCLES MÊME, ONT FINI PAR TISSER UN ENSEMBLE DE LÉGENDES MONSTRUEUSES SUR L'EXTÉRIEUR....QUE L'ON APPELLE ICI LE GRAND PAYS !

EN CE MOMENT, JE SUIS MOI-MÊME À LA TÊTE D'UN COMPLOT AVEC UN DES TROIS SEIGNEURS ET CONTRE MON PÈRE ....

NOUS VOULONS ENVOYER QUELQU'UN À L'EXTÉRIEUR....POUR S'INFORMER SUR LE GRAND PAYS !

MON PÈRE EST DEVENU UN TYRAN CRUEL ET STUPIDE QUI S'Y OPPOSE DE TOUTES SES FORCES !!

J'IGNORAIS TOUT DES PRISONS DU CHÂTEAU ....COMME PRESQUE TOUS LES GENS D'ICI !
...
JE SAVAIS QUE MON PÈRE CHASSAIT...ET DÉBORDAIT QUELQUEFOIS SUR L'EXTÉRIEUR PAR UN PASSAGE .... LES GENS PRISONNIERS SONT PROBABLEMENT CEUX QUI L'ONT APERÇU EN CES OCCASIONS !!

QUELQUES MOIS PLUS TARD ...UN SOIR, DANS UNE PIZZERIA DU QUARTIER LATIN .....

ANNE .... ANNETTE! VOYONS!...

JE TE DÉFENDS DE M'APPELER ANNETTE! TU M'ENTENDS! JE TE LE DÉFENDS!!

VOYONS! ANNE! JE NE COMPRENDS PAS!...POURQUOI TE METS-TU DANS DES ÉTATS PAREILS?

...ARTHIS M'APPELAIT COMME ÇA!....

ÉCOUTE, ÇA SUFFIT, VOYONS!...ÇA FAIT PLUS D'UN AN ET DEMI! IL EST MORT! C'EST SÛR!!

DES TAS DE GENS SONT MORTS ET DISPARUS DANS CES MARAIS!... IL AURA VOULU PRENDRE DES PHOTOS ET PUIS VOILA!....Y'A MÊME UNE JEUNE FEMME BRUNE QUI A DIS-PARU LE MÊME SOIR! ALLONS!...VOYONS!!

S'IL TE PLAÎT!... ARRÊTE DE BOIRE ET DE DIRE "VOYONS"!!

ÉCOUTE, ANNE ....

SOIS RAISONNABLE ..IL FAUT OUBLIER!. .... TU ES TROP JOLIE! .... TU NE VAS QUAND MÊME PAS JOUER LES PÉNÉLOPES À TON ÂGE!...

ANNE!... JE....JE N'EN PEUX PLUS ..... JE... IL FAUT QUE JE TE PARLE SÉRIEUSEMENT!

QUOI!..TOI AUSSI! TU ÉTAIS UN DE SES MEILLEURS AMIS!.... TU ME DÉGOÛTES!!

ANNE ! ATTENDS !

EN VOILÀ ASSEZ !... JE NE VOULAIS PAS T'EN PARLER MAIS TU M'Y POUSSES !! ...... ARTHIS NE T'AIMAIT PAS ! ......JE LE SAIS ! ...IL ME L'A DIT !....

TU MENS !

¡DIOTE !.... QU'EST-CE QUE TU CROIS ? IL N'AIMAIT QUE LUI !.... LUI ET SES PHOTOS !!.... ..... ET PUIS, TU VEUX QUE JE TE DISE, MOI NON PLUS JE NE L'AIMAIS PAS !!

...IL ÉTAIT TROP SEUL... NE DISAIT JAMAIS RIEN ! ......N'ÉTAIT JAMAIS LÀ !!...SECRET ET RUSTRE MÊME PARFOIS !

ÉVIDEMMENT ! ...IL N'AVAIT PAS L'HABITUDE DES RONDS DE JAMBES ET DES PAROLES FLOTTANTES !!

TU ES DÉPRIMÉE EN CE MOMENT, ANNE !...; TU DIS N'IMPORTE QUOI ! ...IL FAUT QUE QUELQU'UN TE REDONNE LE GOÛT DE VIVRE !!

CLAC

DEPUIS TOUJOURS, ELLE LE SAVAIT!... C'ÉTAIT MÊME DEVENU UN RÉFLEXE ....

IL..... IL FAUT QUE ...QUE....

... CELUI!... CELUI QUI... QUI POURRIT DANS MON COEUR C'EST .....UNE LUEUR QUI SE NOURRIT DES PEURS ....

IL N'Y A QUE COMME ÇA QU'ELLES CÉDAIENT... LES IDÉES NOIRES... CONTRE LA POÉSIE, ELLES NE FAI-SAIENT PAS LE POIDS...JAMAIS...

...PEURS QUI RÔDENT CHANTANT LE MALHEUR.... ...EN HAUT, EN BAS .... TOUJOURS...TOUJOURS...

NUIT SUR LA NUIT, C'EST FÊTE, ENFONÇONS LA DÉTRESSE SOUS L'OUATE D'UNE JOIE ÉPAISSE, NUIT SUR NUIT, C'EST LA FAIBLESSE DU COEUR BRISÉ PAR DE TROP BEAUX VISAGES ....

HÉ !... HÉ LÀ !... JE....JE...

ENFIN !.... JE...QUELQUE.. JE...JE BOIRE...ET....

C'EST ÇA, COMPA-GNON !...TIENS !...BOIS! ...ET BOIS POUR MOI AUSSI !...ÉPONGE NOS MALHEURS!

LE CON !
....
IL M'A FAIT
PEUR !!

PLAIE ... PLAIE DU JOUR À MON FLANC...
LA NUIT C'EST MON SANG
QUI S'ENFUIT PAR CE TROU BLANC...

... SOLEIL QUI
ME BAIGNE
JUSQU'AU PETIT
MATIN ....
M'ÔTE LA FAIM ...

... AU PETIT MATIN
DE MA FIN ....
MAIS ?....

ENCORE LUI !
C'EST PAS VRAI !
QU'EST-CE QU'IL
ME VEUT, À LA FIN ?

DRiiiiiNG

?...

SI C'EST ARNAUD QUI VIENT S'EXCUSER, JE LUI ARRACHE LES YEUX!!

PERSONNE?

CLAC

AH!!

CRACH

37

QUELQUES JOURS PLUS TARD, APRÈS BEAUCOUP DE FIÈVRE, DE DÉ- LIRE ET DE LONGUES NUITS AU SOMMEIL AGITÉ ......

OÙ SUIS-JE ?...

CHEZ MOI, ARTHIS !... TU AS ÉTÉ TRÈS MALADE, UNE MALADIE COMPLIQUÉE ... LA LEPTOSPIROSE ... ... ATTRAPÉE SANS DOUTE DANS DE L'EAU STAGNANTE ....

DU .... DU CAFÉ ! ....

BEN OUI !... C'EST DU CAFÉ ! ...POURQUOI ?

DRÏÏNG

ON A SONNÉ !... NE BOUGE PAS ...J'Y VAIS !..

EUH !.. BONJOUR !.. C'EST MOI !... JE..JE VIENS M'EXCUSER POUR L'AUTRE JOUR !..

ÉCOUTE ARNAUD !... PAS AUJOURD'HUI !... JE SUIS FATIGUÉE !... C'EST GENTIL, MAIS REVIENS T'EXCUSER UN AUTRE JOUR !.. SALUT !...

ARTHIS ?...

QUI ...QUI C'ÉTAIT ?...

ARNAUD ! JE L'AI RENVOYÉ !

OH !... ARTHIS !.... JE N'ARRIVE PAS À Y CROIRE !

MOI..MOI NON PLUS ! ...DU CAFÉ !

..VAS-TU ENFIN M'EXPLIQUER ..... L'ÉTAT DANS LEQUEL TU ÉTAIS ..... D'OÙ VIENS-TU ?.. QUE T'EST-IL ARRIVÉ ?...

OUI .. MAIS !.... JE NE SAIS PAS PAR OÙ COMMENCER ....

JE SUIS COMME...ASSOMMÉ....
ÉTOURDI PAR L'IMPRESSION QUE ÇA
ME FAIT DE REVOIR PARIS !...
C'EST UN PEU COMME UNE SORTE
DE RENAISSANCE !....

DIS-MOI, ARTHIS, CETTE
HISTOIRE DE ROYAUME....
C'EST QUAND MÊME
INCROYABLE....
ET TOUS CES LONGS MOIS
LÀ-BAS DANS CETTE PRISON
SORDIDE.....
COMMENT AS-TU FAIT POUR
TENIR ?.....

..EUH....
L'IMAGE D'UNE FEMME
M'A AIDÉ !....

UNE IDÉE...ELLE M'EST VENUE
COMME ÇA !.... C'EST LE CIEL
"SI JE PUIS DIRE" QUI A VOULU
QU'UN PHOTOGRAPHE
AILLE S'ENLISER
DANS CES
MARAIS....

...ELLE ME FUT
D'UN PUISSANT
SECOURS....
ET....JE....

OH...
ARTHIS...
MOI AUSSI
J'AI PENSÉ
À TOI !....

MAIS, ENSUITE...
QU'AS-TU DÉCIDÉ
AVEC LE PRINCE ?
.....
..ET COMMENT T'ES-
TU ÉVADÉ ?....

OUI !...
MAIS, AVANT
DE LA
METTRE EN
OEUVRE, LE
PLUS DIFFICILE
ÉTAIT DE
SORTIR DE
GALTHÉDOC !

LE PLAN ÉTAIT RISQUÉ !. ET LE PRINCE AVAIT ÉTÉ DIFFICILE À CONVAINCRE...... ..J'AVAIS FINI PAR LE DÉCIDER.....

?

?

MONSEIGNEUR..
....

MONSEIGNEUR...
....

MAIS, ARTHIS, JE NE COMPRENDS PAS !.... TU PARLAIS, DE TON ÉVASION !......

41

BEN DIS DONC !... ET ALORS ... APRÈS ! ... QU'EST-CE QUE TU AS FAIT ?...

... APRÈS ... J'AI COURU, COURU DANS LES MARAIS, PENDANT DES HEURES, SANS ME RETOURNER ......

... JE NE SAVAIS PLUS OÙ J'ALLAIS, OÙ J'ÉTAIS, ... LA FIÈVRE ME REPRENAIT ... J'AI DÛ TOURNER EN ROND, REVENIR SUR MES PAS ... ... ET REPARTIR ....

... ENFIN, UN MATIN, ÉPUISÉ, JE RÉUSSIS À SORTIR DES MARAIS ...

... ET PUIS ....

... ET PUIS... LA FAIM ... LA FATIGUE ... LA FIÈVRE ... LA SOIF...

ET ENCORE LA FAIM...

43

JE N'ÉTAIS PLUS LE MÊME....

JE NE SAIS MÊME PLUS SI JE L'AI FAIT CUIRE, CETTE POULE

JE....JE N'ÉTAIS PLUS LE MÊME...

IL Y AVAIT MAINTENANT EN MOI UN PEU DE TOUS CES PERSONNAGES INCROYABLES QUE J'AVAIS RENCONTRÉS..

LE NARQUOIS....
LE VALET....
LE MOINE...
ET LE CHIMPANZÉ!

JE NE RAISON- NAIS PLUS...

TOUS CES VISAGES CREUSES M'ENVAHIS- SAIENT....

REJOINDRE PARIS ET TE RETROUVER....

UNE PENSÉE DEMEURAIT... UNE SEULE...

ENSUITE....
JE NE ME
RAPPELLE PLUS
BIEN.....
LA FIÈVRE ....

LA FIÈVRE
SANS
CESSE
REVENAIT...

JE NE DEVAIS
PLUS ÊTRE
BIEN LOIN DE
PARIS....

AAAAAHH!

OUI!...
...JE...!
ÇA VA!...
CE N'EST RIEN..

ARTHIS!
ARTHIS!!!

45

ÇA ME PASSERA !...
TU SAIS, ANNETTE...
IL ME FAUDRA UN
PEU DE TEMPS
POUR OUBLIER...

..EN TOUT CAS, IL NE FAUT PAS
QU'ON ME RECONNAISSE !...
SI JE REPARAIS, ON ME POSERA
TOUTES SORTES DE QUESTIONS !
....

CELA NUIRAIT À L'EXÉCUTION
DE MON PROJET !.....

......
QUE VAS-TU
FAIRE ?
....

J'AI PROPOSÉ AU
PRINCE DE FAIRE
UN REPORTAGE
PHOTO LE PLUS
COMPLET ET LE
PLUS OBJECTIF
POSSIBLE SUR
NOTRE
"GRAND PAYS".

JE RETOURNERAI ENSUITE
LA-BAS ORGANISER UNE GI-
GANTESQUE SÉANCE DIAPOS....
AINSI LES GENS DE GALTHÉDOC
POURRONT CONNAÎTRE L'ÉVOLUTION
DU MONDE QUE LEURS ANCÊ-
TRES ONT QUITTÉ IL Y A PLUS
DE TROIS SIÈCLES ......

IL NE RESTERA PLUS QU'À
ORGANISER UN RÉFÉRENDUM...
..... AVEC UNE QUESTION
TOUTE SIMPLE....

FAUT-IL OUVRIR LA FRONTIÈRE
ET PERMETTRE AINSI AUX
DEUX POPULATIONS DE SE
RENCONTRER ? .....

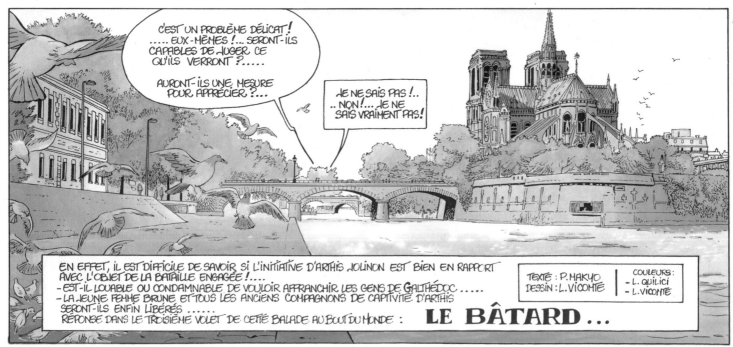

C'EST UN PROBLÈME DÉLICAT !
..... EUX-MÊMES !... SERONT-ILS
CAPABLES DE JUGER CE
QU'ILS VERRONT ?.....

AURONT-ILS UNE MESURE
POUR APPRÉCIER ?...

JE NE SAIS PAS !..
.. NON !... JE NE
SAIS VRAIMENT PAS !

EN EFFET, IL EST DIFFICILE DE SAVOIR SI L'INITIATIVE D'ARTHIS JOLINON EST BIEN EN RAPPORT
AVEC L'OBJET DE LA BATAILLE ENGAGÉE !....
- EST-IL LOUABLE OU CONDAMNABLE DE VOULOIR AFFRANCHIR LES GENS DE GALTHÉDOC .....
- LA JEUNE FEMME BRUNE ET TOUS LES ANCIENS COMPAGNONS DE CAPTIVITÉ D'ARTHIS
SERONT-ILS ENFIN LIBÉRÉS ......
RÉPONSE DANS LE TROISIÈME VOLET DE CETTE BALADE AU BOUT DU MONDE :   LE BÂTARD ...

TEXTE : P. MAKYO
DESSIN : L. VICOMTE

COULEURS :
- L. QUILICI
- L. VICOMTE

MAKYO   VICOMTE

BALADE AU BOUT DU MONDE

3 · LE BÂTARD

Glénat

LE SOIR....

ÉCOUTE, ANNETTE, JE T'AVAIS DIT QUE CELA NE SERAIT PAS UNE PARTIE DE PLAISIR !..... C'EST TOI QUI AS VOULU VENIR....

SI TU POUVAIS TE RAPPELER OÙ EST L'ENTRÉE DE CE ROYAUME DE PLUS EN PLUS IMAGINAIRE ...ÇA AIDERAIT PAS MAL ! ..... ET CESSE DE M'APPELER ANNETTE !

QUATRE JOURS QU'ON TRAÎNE DANS CES MARÉCAGES !!

ÉCOUTE ! SI TU VEUX, JE PEUX TE RAMENER À L'HÔTEL ET TU M'Y ATTENDRAS .....

ET PUIS QUOI ENCORE !... ON A FAIT TOUTES LES PHOTOS ENSEMBLE POUR LEUR MONTRER, À CES ARRIÉRÉS,CE QU'ILS ONT PERDU EN QUITTANT LE MONDE CIVILISÉ !!

ET...ET...EN PLUS ...TES AIRS DE BAROUDEUR FATIGUÉ, GARDE-LES POUR TES FUTURES MONDANITÉS !!

VOILÀ !... ET N'OUBLIE PAS D'ÉTEINDRE LE FEU !...LES INDIENS VONT NOUS REPÉRER...

BONSOIR !

2

GALTHÉDOC ....
ROYAUME DE MALHEUR !....
VAIS-JE LE RETROUVER ?...
CES MARÉCAGES ENGOUR-
DISSENT L'ESPRIT.....

J'AI DE NOUVEAU CETTE SENSATION
DÉSAGRÉABLE DE GLISSEMENT
OÙ LE RÊVE ET LA RÉALITÉ
FINISSENT PAR SE MÉLANGER.....

GALTHÉDOC ....
GALTHÉDOC ....
JE VAIS FINIR PAR
L'OUBLIER .....

...ET COMME CHAQUE SOIR
DEPUIS QU'IL ÉTAIT REVENU
DANS LES MARAIS,
EN ENTRANT DANS LE
SOMMEIL, ARTHIS FIT
UN RÊVE, TOUJOURS
LE MÊME.....

UNE FEMME,
AU LOIN, LÀ-BAS,
L'ATTENDAIT
AVEC UN MASQUE
ÉTRANGE....

...ET PUIS DES NOTES
DE MUSIQUE AUSSI...

QUI L'ATTIRAIENT

UN AIR ...MYSTÉRIEUX..
... COURT...TOUJOURS
LE MÊME ....

3

COMME CHAQUE MATIN, LE ROI DE GALTHÉDOC S'ÉVEILLE EN PROIE À LA TERREUR ....

ET, COMME CHAQUE MATIN, IL A L'IMPRESSION D'AVOIR SOMMEILLÉ TOUTE LA NUIT, LE CORPS PARA-LYSÉ MAIS L'ESPRIT EN ÉVEIL ...

TOUTE LA NUIT IL A ÉTÉ TENAILLÉ, TRAVAILLÉ PAR L'INTENSE SENTI-MENT QUE L'AGITATION ACTUELLE DE SON ROYAUME CORRESPOND EXACTEMENT À VOTRE AGITATION INTÉRIEURE À VOUS, SIRE ....

....DE PLUS, COMME CHAQUE MATIN, VOUS VOUS ÊTES RÉVEILLÉ EN SUEUR, PÉTRIFIÉ PAR LA SENSATION D'AVOIR PERDU LA MÉMOIRE .....

ET VOUS LA PERDEZ EFFECTIVEMENT CHAQUE MATIN PENDANT QUELQUES MINUTES .... MAIS ELLE REVIENT... SIRE ... ...LENTEMENT....

ELLE REVIENT TOUJOURS ...

TOUJOURS !.. TOUJOURS ....TOUJOURS.... JUSQU'AU JOUR OÙ ELLE NE REVIENDRA PAS ....

4

LÀ EST NOTRE RÔLE, SIRE !... NOUS SOMMES LÀ POUR ÇA !..... DÈS QUE VOS PETITES ABSENCES MATINALES SONT APPARUES, IL Y A MM........

72 ANS !

2 MOIS..

ET 16 JOURS !

VOUS NOUS AVEZ ALORS COMBLÉS ET COUVERTS D'HONNEURS EN NOUS EMPLOYANT À PRENDRE NOTE DE TOUS LES FAITS, ET GESTES, ET PENSÉES, QUI FONT LES BEAUX JOURS DE VOTRE MAJESTÉ !...

AINSI, VOUS N'AVEZ PAS UNE MÉMOIRE, SIRE, MAIS TROIS ! ... COMME IL CONVIENT À UN ROI..... TROIS, TROIS, TROIS !

NOUS VOUS RAPPELONS À CE SUJET QUE PAR DÉCRET, IL Y A DE CELA 180 ANS, VOUS AVEZ DÉCIDÉ QUE LES ANNÉES NE COMPORTERAIENT PLUS QUE TROIS MOIS.....

LE NOMBRE 3 ÉTANT VOTRE NOMBRE D'OR, SIRE, CELUI SUR LEQUEL SONT BASÉES TOUTE VOTRE PENSÉE ET VOTRE ACTION..... TROIS, TROIS, TROIS...

VOUS RAPPELEZ-VOUS, SIRE, POURQUOI LE NOMBRE 3 MARQUE AINSI VOTRE EXISTENCE ? .....

NON NON NON JE NE VEUX PAS ! JE NE M'EN SOUVIENS PAS !!

ALORS, NOUS DEVONS VOUS LE RAPPELER, SIRE.....

NON! GARDES!

TUEZ-LES!

ALLONS! SIRE! VOUS OUBLIEZ LES RÈGLES DU JEU!...LA MÉMOIRE EST AINSI FAITE!...CE N'EST PAS ELLE QUI CHOISIT!... BON, MAUVAIS, COMME UN CHIEN FIDÈLE UN PEU NIAIS, ELLE RAPPORTE!....

JE SAIS!...JE...JE SAIS CELA, CAPITAINE! ....ET VOUS ALLEZ ME DIRE MAINTENANT QU'ELLE N'EST PAS MENTEUSE.... MAIS SEULEMENT RAPPORTEUSE...

AH! VOUS VOYEZ, SIRE!...VOTRE MÉMOIRE À VOUS N'EST PAS ENCORE MORTE!...ELLE S'AGITE ENCORE!

EH BIEN!...ALLEZ...MÉMOIRES! DONNEZ-MOI...REDONNEZ-MOI TOUS LES DÉTAILS QUE JE NE VEUX PAS SAVOIR!....

..DÉTAILS QUE POURTANT... ..ÉTRANGEMENT, J'AIME QUAND MÊME À ENTENDRE. ...ALLEZ...FAITES VOTRE DEVOIR!....

EH BIEN VOILÀ, SIRE!....

LE JOUR TROIS FOIS SAINT OÙ VOUS VÎTES LE JOUR, ... MERVEILLE OU DIABLERIE ....

CE FUT UN GRAND MYSTÈRE QUI EN MÊME TEMPS QUE VOUS NAQUIT!

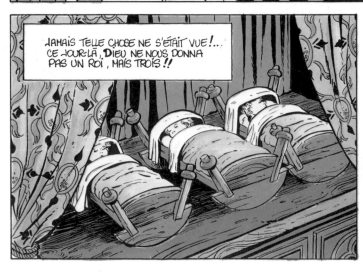

JAMAIS TELLE CHOSE NE S'ÉTAIT VUE!... CE JOUR-LÀ, DIEU NE NOUS DONNA PAS UN ROI, MAIS TROIS!!

LE SOUVERAIN, VOTRE PÈRE, DÈS CE JOUR, FUT PLONGÉ EN PROFOND DÉSARROI.... CET ÉVÉNEMENT INCOMPRÉHENSIBLE EMPORTA UNE PARTIE DE SA RAISON!

SON ÉTAT NE S'AMÉLIORA PAS QUAND IL COMPRIT QUE LE ROYAUME N'AVAIT BESOIN QUE D'UN HÉRITIER... ...D'UN SEUL, PAS DE TROIS!!...

UN MATIN, LE ROI PRIT SA DÉCISION... ...DE SA CHAMBRE, IL APPELA SES 3 ENFANTS !...

... ET LES 3 PETITS PRINCES, QUI, JOYEUX, COURAIENT VERS LEUR PAPA, PAPA, PAPA, NE SAVAIENT PAS QUE CE JOUR-LÀ, LE PLUS RAPIDE SERAIT ROI !.... C'EST CE QU'IL AVAIT DÉCIDÉ !.....

... C'EST VOUS QUI ÊTES ENTRÉ DANS LA PIÈCE LE PREMIER, SIRE !..... LE SORT VOUS AVAIT DÉSIGNÉ !...

ET POUR QU'IL N'Y AIT QU'UN SEUL PRÉTENDANT, LE SECOND EUT LES PAUPIÈRES COUSUES, LE TROISIÈ- ME LA LANGUE COUPÉE .... DÉSORMAIS, VOUS ÉTIEZ SEUL APPELÉ À RÉGNER !....

DÈS LORS, LA FOLIE DE VOTRE PÈRE S'AG- GRAVA. ON N'ENTENDIT PLUS JAMAIS LE SON DE SA VOIX !

MAIS SA FOLIE SE PROPAGEA...ET PAS UN DES TROIS NE FUT ÉPARGNÉ... LE PRINCE AVEUGLE, ADOLESCENT TOURMENTÉ, FINIT PAR SE JETER DE LA TOUR DU MOGUET !

QUANT' AU PRINCE MUET, QU'IL FALLUT FINALEMENT ENFERMER, LA PASSION DU JEU L'HABITAIT .... MAIS LA PASSION DU SEUL JEU QUE SON PÈRE AIMAIT .....

IL COUVRE AINSI LE SOL DE DOMINOS, DEPUIS TOUJOURS .... SANS JAMAIS SE LASSER NI Y ACCORDER D'INTÉRÊT ......

...MISÈRE .... MISÈRE ET PAUVRES FRÈRES.

MA FOLIE, QUANT À MOI, JE LA CONNAIS !... C'EST LE NOMBRE TROIS ...ET AUSSI CETTE SENSATION TERRIBLE, CONTINUE, QUE LE ROYAUME, C'EST MOI !...

ET ... ET ... QUE SON DÉSORDRE ......

...QUE SON DÉSORDRE ACTUEL, C'EST MON DÉSORDRE À MOI ..) ......
C'EST DANS MON ROYAUME MAIS EN MÊME TEMPS DANS MA TÊTE QUE L'ON SE BAT ....

LES ÉCORCHEURS !! LES ÉCORCHEURS !!

LES FEMMES, LÀ-BAS !! J'EN VOIS QUI S'ÉCHAPPENT !!

CELUI-CI
A FAILLI !!
· · · ·
ACCROCHEZ-
LE POUR LA
PELOTE !!

VOILÀ !!...
ET AINSI DE
MÊME POUR
TOUS CEUX QUI
OUBLIENT
L'IMPORTANCE
ET LE RÔLE
SACRÉ DE LA
FEMME EN
GALTHÉDOC !
· · · ·

...ET...ET ENSUITE, MAJESTÉ, COMME À CHAQUE FOIS, AVEC BEAUCOUP DE MÉNAGEMENT, ILS ONT EMPORTÉ TOUTES LES FEMMES DU VILLAGE !...

MALÉDICTION !! MAIS CES CHIENS VONT JUSQU'À OUBLIER QUE.... QUE CES FEMMES...SONT... SONT DES FEMMES !!

JUSTEMENT NON !... SIRE !...

VOUS LE SAVEZ, À CAUSE DES ÉPIDÉMIES ET DES GUERRES, IL N'Y A PLUS MAINTENANT EN GALTHÉDOC QU'UNE FEMME POUR TROIS HOMMES !... C'EST TRÈS GRAVE, CAR EN PLUS, LES NAISSANCES FÉMININES DIMINUENT RÉGULIÈREMENT !....

NOS COMPAGNES SONT MAINTENANT DEVENUES SYMBOLES DE PROSPÉRITÉ ET MÊME DE PUISSANCE ......

.....
C'EST POURQUOI LE CAPITAINE DAMMARTIN ET SES ÉCORCHEURS LES EMPORTENT !

ALORS, CE SERAIT VRAI !.. DAMMARTIN S'EST MIS LUI AUSSI AU SERVICE DE CE MAUDIT BÂTARD !!......

MAIS IL NE PEUT RIEN ! RIEN ! RIEN CONTRE MOI ! LE PAUVRE IDIOT !!!

SIRE !.. MALGRÉ LA PRÉDICTION IL NOUS FAUT QUAND MÊME PRENDRE EN COMPTE LE DANGER QUE REPRÉSENTE LE RALLIEMENT RÉCENT DE DAMMARTIN À SA CAUSE ...

...LA PRÉDICTION !..LA PRÉDICTION DU MAGE AUX CENT MILLE VIERGES ! IL LA CONNAÎT POURTANT !!.....

ALORS ! POURQUOI S'OBSTINE-T-IL ?

TOUS VOS CONSEILLERS ET HOMMES D'ARMES ÉTUDIENT ACTUELLEMENT AVEC MOI CE PLAN DE LA SITUATION QUI S'AGGRAVE...

VOTRE FILS BÂTARD, ARGON, QUI AVAIT ÉTÉ MIS À L'ÉCART, A MAINTENANT FAIT ALLIANCE AVEC LES DEUX AUTRES SEIGNEURS DU ROYAUME... GUILLAUME D'AIGUE PERSE ET ANTOINE DE LA MARCHE.

LE FAIT QUE LE PLUS PETIT DE CES SEIGNEURS MAIS AUSSI LE PLUS DANGEREUX, QUI EST SURNOMMÉ LE CAPITAINE, JE VEUX PARLER DE DAMMARTIN ET DE SA TROUPE DE MERCENAIRES ... LE FAIT DONC QU'IL SE SOIT RALLIÉ AUX CONSPIRATEURS MET VOTRE POUVOIR EN DANGER, MAJESTÉ....

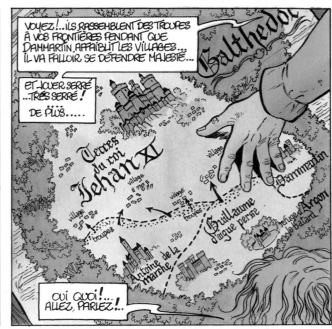

VOYEZ !... ILS RASSEMBLENT DES TROUPES À VOS FRONTIÈRES PENDANT QUE DAMMARTIN AFFAIBLIT LES VILLAGES... IL VA FALLOIR SE DÉFENDRE MAJESTÉ...

ET JOUER SERRÉ ...TRÈS SERRÉ !

DE PLUS......

OUI QUOI !... ALLEZ, PARLEZ !...

DE PLUS, ARGON FAIT COURIR PARTOUT DES BRUITS SELON LESQUELS VOTRE FOLIE SE SERAIT AGGRAVÉE !...

ET .... ET QU'ELLE VOUS EMPÊCHE MAINTENANT DE GOUVERNER ....

AAAH AH AH ! .... MAIS LE FOU, C'EST LUI ! ET LÀ PRÉDICTION !

LA PRÉDICTION ! IL L'A OUBLIÉE

IL NE PEUT RIEN !...

IL N'EST PAS LÉGITIME ! AH AH AH !

CE N'EST PAS UN FILS LÉGITIME !

IL NE PEUT RIEN! ARGON NE PEUT RIEN!! LE ROI, C'EST MOI!!

LES VOCIFÉRATIONS DU ROI FURENT ALORS SOUDAINEMENT INTERROMPUES PAR UN AIR DE FLÛTE, UN AIR COURT, TOUJOURS LE MÊME.....

ÉCOUTEZ!.. ÉCOUTEZ.....CETTE MUSIQUE...

C'EST ENCORE CETTE MAUDITE FLÛTE ET CET INSAISISSABLE MUSICIEN!!

GARDES! ALLEZ!.. ET ARRÊTEZ-LE, CETTE FOIS!!

COMBIEN DE FOIS!.. COMBIEN DE FOIS AI-JE DÉJA ENTENDU CET AIR DE FLÛTE, TOUJOURS LE MÊME!.... TOUJOURS...TOUJOURS, TOUJOURS....

MM...VOYONS... 38 FOIS, SIRE...

OUI, 18 FOIS DANS VOTRE CHÂTEAU....

13 FOIS LORS DE PROMENADES DIVERSES, ET 7 FOIS ALORS QUE VOUS CHASSIEZ AUX LIMITES DE VOTRE ROYAUME, SIRE .....

LE MUSICIEN EST INVISIBLE, SIRE, MAIS SON AIR, TOUJOURS LE MÊME, EST PARTOUT!....

CHEZ LES PAYSANS ET TOUS LES GENS SANS LETTRES, IL A MÊME PRIS ALLURE DE LÉGENDE.... CETTE MUSIQUE, PARAÎT-IL, MET LA JOIE AU CŒUR, ET CHASSE TOUTE FORME DE TRISTESSE ....

LÉGENDE, BIEN SÛR...

SIRE!... LE MUSICIEN EST INTROUVABLE!.... C'EST À N'Y RIEN COMPRENDRE!!

72

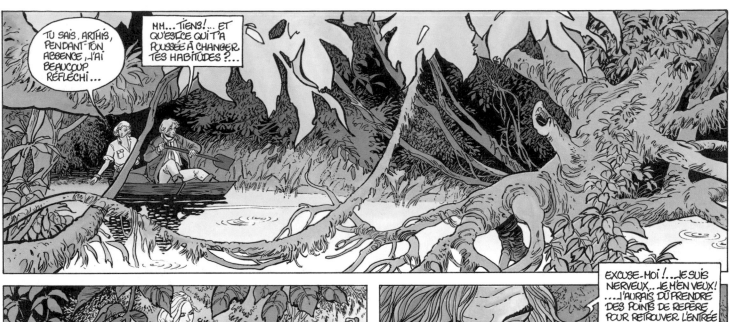

TU SAIS, ARTHIS, PENDANT TON ABSENCE, J'AI BEAUCOUP RÉFLÉCHI...

MM... TIENS!... ET QU'EST-CE QUI T'A POUSSÉE À CHANGER TES HABITUDES?...

EXCUSE-MOI!... JE SUIS NERVEUX... JE M'EN VEUX! ...J'AURAIS DÛ PRENDRE DES POINTS DE REPÈRE POUR RETROUVER L'ENTRÉE DE CE FOUTU ROYAUME! ...BON DIEU! QUEL CRÉTIN!!

..ET DONC, JE SUIS ARRIVÉE À UNE CONCLUSION ÉTRANGE... PARADOXALE VOIS-TU, TU ES SOUVENT PARTI, ET FINALEMENT, J'AIME ASSEZ CETTE ALTERNANCE DE PRÉSENCE ET D'ABSENCE...

TU ES LÀ.... TU N'ES PLUS LÀ... PARTI ON NE SAIT OÙ... TU ENTRETIENS TON MYSTÈRE, JE GARDE LE MIEN... TOUT ÇA EST PARFAIT, MAIS N'EST PAS SANS DANGER...

HOLÀ!... EFFECTIVEMENT, J'AI DÛ PARTIR UN PEU TROP LONG-TEMPS LA DERNIÈRE FOIS... J'AI UN PEU DE MAL À TE SUIVRE, MAINTENANT....

.... ARTHIS, JE TE CONNAIS! .... QUELQUE CHOSE TE TOURMENTE!... ET CE N'EST PAS SEULEMENT L'ENTRÉE DE CE ROYAUME QUE TU N'ARRIVES PAS À RETROUVER

....

IL Y A AUTRE CHOSE

13

JE ME RAPPELLE... QUAND TU M'AS DIT: "C'EST L'IMAGE D'UNE FEMME QUI M'A AIDÉ À TENIR"... J'AVAIS CRU QUE TU PARLAIS DE MOI... C'ÉTAIT ELLE?

..VOILÀ... ET... ET DONC, C'EST JUSTEMENT CETTE FEMME BRUNE, ENTREVUE QUELQUES MINUTES SEULEMENT AVANT D'ÊTRE ENFERMÉ, QUE J'AI RETROUVÉE DES MOIS ET DES MOIS APRÈS DANS LA PRISON DES FEMMES.....

MN... ALORS, MON PRESSENTIMENT... C'ÉTAIT PEUT-ÊTRE ÇA......

EN T'ACCOMPAGNANT CETTE FOIS, LE COURS DES CHOSES EST CHANGÉ.... PEUT-ÊTRE QUE POUR NOUS, LA MAGIE A CESSÉ DE FONCTIONNER.....

JE... JE NE SAIS PAS... CE QUE JE SAIS PAR CONTRE, C'EST QUE CETTE SITUATION ME DÉPLAÎT..... J'EN OUBLIERAIS PRESQUE GALTHÉDOC ET TOUS MES ANCIENS COMPAGNONS RESTÉS PRISONNIERS...

...BON! D'ACCORD, C'EST IDIOT... MAIS ÇA NE T'EMPÊCHE PAS DE DORMIR DANS LA TENTE... TU N'ES PAS OBLIGÉ DE JOUER LES COW-BOYS PRÈS DU FEU TOUS LES SOIRS...

NON!.. MERCI MAIS JE PRÉFÈRE!... JE T'ASSURE! JE PRÉFÈRE LA BELLE ÉTOILE....

C'EST QUAND MÊME INIMAGINABLE!... JE PEUX CHANGER L'HISTOIRE D'UN ROYAUME TOUT ENTIER SANS LE MOINDRE COMBAT..... ET FINALEMENT JE RESTE LÀ, PARALYSÉ.... LA TÊTE COMPLÈTEMENT EMBROUILLÉE PAR MA PETITE GUÉGUERRE À MOI....

JE RÊVE MIEUX...

ÇA Y EST....
JE.....
JE LA VOIS
.....

LA FEMME AU
MASQUE....
DE SOLEIL....
LÀ-BAS..ET
...ET....

..ET L'AIR
DE FLÛTE...
TOUJOURS LE
MÊME.....

TU AS ENTENDU?...
L'AIR DE FLÛTE...LA
MUSIQUE QUI FAIT
POUSSER LES BLÉS...

SAINTE MÈRE!...
BON SIGNE, ÇA!... LA
RÉCOLTE SERA BONNE!

LES HOMMES NE
SÈMENT PAS
POUR RIEN

L'AIR DE FLÛTE!
..IL VENAIT DE
PAR LÀ!..

JE LE VERRAI,
MOI,LE MUSICIEN
...C'EST UN SIÈCLE
DE SANTÉ POUR
CELUI QUI
L'APERÇOIT
.....
C'EST C'QU'ON
DIT.....
ALORS, IL FAUT
QUE JE LE
VOIE!....

EH,TU PEUX COURIR, BEAU
SEMAILLON!....LE JOUEUR DE
FLÛTE S'HABILLE AUSSI BIEN
DE LA TERRE ET DES ARBRES
QUE DU CIEL ET DE SES NUAGES!
...

MILLE MÈRES!!
POURTANT,ÇA VENAIT
BIEN DE PAR LÀ!!

ÇA Y EST!ÇA VA CHUTER!
ÇA VA CHUTER À LA FERME
FRANCIE!...LA PRÊTRESSE
ARRIVE!!.....

15

LAISSEZ PASSER !
....
LAISSEZ PASSER,
LA DAME-MÈRE...

UNE FOIS DE PLUS, NOUS VOILÀ
ASSEMBLÉS POUR ASSISTER
À LA CHUTE D'UN ENFANT !...
CETTE NAISSANCE SERA-T-ELLE
BÉNÉDICTION OU
MALÉDICTION ?...

DEPUIS QUE LA REINE MÈRE A DISPARU
PEU À PEU LES NAISSANCES FÉMININES SE
SONT ESPACÉES .... POUR FINIR À CE QUE
NOUS CONNAISSONS !..... DEPUIS SEPT
ANS, PAS UN BÉBÉ DE SEXE INTÉRIEUR
N'EST NÉ .....SEULS LES MÂLES CROISSENT
ET SE MULTIPLIENT .....

VOUS LE SAVEZ !
....
PUCELLE OU SORCIÈRE,
LA FEMME EST MULTIPLE, ET
C'EST ELLE QUI TOUJOURS
ANIME L'HOMME .....

C'EST EN S'UNISSANT À ELLE QUE
LE MÂLE ACQUIERT UNE PARTIE DU
POUVOIR QU'ELLE DÉTIENT... IL PEUT
AINSI LUTTER CONTRE LES DÉSORDRES
DE LA NATURE ET LA TRANSFORMER
.... IL FAUT PRIER POUR QU'ELLE
REVIENNE .....

MÈRE SAINTE, FEMME DU CIEL, SAINTE
MÈRE ! TOI QUI ASSURES LES UNIONS
FÉCONDES , ARRÊTE L'HÉMORRAGIE
MÂLE ET REDONNE À NOTRE TERRE
LE POUVOIR
FÉMININ !!

COURAGE, COMPAGNON! SANS AUCUN DOUTE, C'EST UNE GRAINE DE FEMME QUE TU AS SEMÉE LÀ!... NE T'EN FAIS PAS!...

AH!... SI SEULEMENT LA FLÛTE POUVAIT CHANTER!... LE PRÉSAGE SERAIT BON! J'AURAIS PLUS LE COEUR À ESPÉRER......

C'EST FINI!... L'ENFANT EST TOMBÉ!..... IL EST NÉ!.... C'EST UN PETIT MÂLE!..... QUE LE PÈRE SOIT MILLE FOIS MAUDIT!...

IL N'AURA JAMAIS ASSEZ DE PRIÈRES POUR SURVIVRE... SON FILS LE CHASSE!... ET LES PUISSANCES INVISIBLES SE CHARGERONT DE L'EMPORTER, S'IL NE S'EN VA PAS DE LUI-MÊME!..... QUE LA SAINTE MÈRE, FEMME DU CIEL, LUI VIENNE EN AIDE!...

AAAAAAH!

COMME CHAQUE MATIN, LE ROI DE GALTHÉDOC S'ÉVEILLE EN PROIE À LA TERREUR....

NE VOUS INQUIÉTEZ PAS, SIRE, COMME CHAQUE MATIN, VOUS VOUS RÉVEILLEZ EN SUEUR, PÉTRIFIÉ PAR LA SENSATION D'AVOIR PERDU LA MÉMOIRE !...

...ET VOUS LA PERDEZ EFFECTIVEMENT, SIRE, CHAQUE MATIN, PENDANT QUELQUES MINUTES !....

...MAIS ELLE REVIENT ...LENTEMENT....

...LENTEMENT, MAIS ELLE REVIENT TOUJOURS...

GARDES! TUEZ-LES! TUEZ CES MÉMOIRES!

EUH...JE...ET CETTE MÉMOIRE, SIRE, VOUS ALLEZ POUVOIR L'UTILISER POUR UN ÉVÉNEMENT D'IMPORTANCE!..

OUI !...UN ENFANT EST NÉ CE MATIN DANS LE ROYAUME...ET... C'EST UN **MÂLE**!..

MALÉDICTION! QUE SON PÈRE SOIT MILLE FOIS MAUDIT !!

BIENTÔT, TOUT SERA FINI .... PLUS D'ÉPOUSES , PLUS DE MÈRES , PLUS D'ENFANTS ... LE DÉSÉQUILIBRE S'ACCROÎT ....DANS MON ROYAUME, ET... ET EN MOI !.....

C'EST...LE MÊME !... LE MÊME MAL QUI NOUS RONGE, TOUS LES DEUX !... PARCEQUE ...JE SUIS LE ROYAUME !... OUI C'EST ÇA.... LE ROYAUME, C'EST MA FOLIE À MOI ! .....

JE ....JE DOIS SAVOIR .....

LE MAGE .... SES CENT MILLE VIERGES ... ... OUI ... ELLES LUI DIRONT QUI DE LA FOLIE OU DE LA RAISON CHEZ MOI L'EMPORTERA !....

VIEUX SORCIER !! MAGICIEN DE L'ENFER! OÙ ES-TU ?...

AAAAH!

QUE VOTRE MAJESTÉ NE S'EFFRAIE PAS ! ELLE NE RISQUE RIEN !

TU ES DIABOLIQUE ! COMMENT PEUX-TU ÉCHAPPER À LA MORSURE DE CES MILLIERS D'ABEILLES

IL N'Y A LÀ AUCUN MYSTÈRE, C'EST EN CE MOMENT PÉRIODE D'ESSAIMAGE !... JOUR DE FÊTE POUR ELLES !... LES CENT MILLE VIERGES SONT EN COMPLÈTE IVRESSE ET PARFAITEMENT INOFFENSIVES !

TA CONNAISSANCE ET TA SAGESSE SONT GRANDES ..... TELLEMENT QU'ELLES PRENNENT PARFOIS L'ALLURE DE DIABLERIES..

MAIS DIS-MOI, AMI... TU N'AS JAMAIS VU LE SOLEIL !... EST-CE POUR ÇA QUE TU LES AIMES TANT... ...CES BESTIOLES ÉTRANGES QUI SE REPAISSENT DE CHACUN DE SES RAYONS ?

C'EST QU'ON APPREND BEAUCOUP AVEC ELLES ... D'ABORD ... ET SURTOUT...TOUTES LES PRÉOCCUPATIONS DE LA NATURE ....

JUSTEMENT ! PEUVENT-ELLES TE DIRE QUAND, ENFIN, LES FEMMES RENAÎTRONT DANS LE ROYAUME DE GALTHEDOC ?

19

TOUT AU PLUS, JE PEUX TE DIRE QUE C'EST UN MAUVAIS CYCLE QUI PRENDRA FIN COMME IL A COMMENCÉ!!....

ET.....ET TOUT ÇA.... EST DÛ AU HASARD?

LE HASARD EST ESCLAVE INTELLIGENT..... IL SAIT TIRER PARTI DES ORDRES LES PLUS DANGEREUX DE SON MAÎTRE.

LE SEUL MAÎTRE EN GALTHÉDOC, C'EST MOI!!... JE SUIS LE ROI! NE L'OUBLIE PAS!

JE NE L'OUBLIE PAS!... MAIS LE MAÎTRE DONT JE PARLE EST DIFFÉRENT... ..... C'EST LE CIEL, LA TERRE ET LE VENT .....

ET LA PRÉDICTION!... LA PRÉDICTION!... C'EST AUSSI LE VENT QUI TE L'A APPRISE?

JOACHIM!... LIS!. RELIS PLUTÔT LA PRÉDICTION QU'IL ÉTAIT DE NOTRE DEVOIR DE LIVRER AU ROI!....

OUI...VOILÀ... COMME, COMME LE VOILE JETÉ SUR LES YEUX DE MON MAÎTRE, SEMBLABLE EST LE VOILE DONT LA NATURE ENVELOPPE TOUTES CHOSES...

LES ABEILLES NE CONNAISSENT PAS CE VOILE, ET LEURS MILLIERS DE PETITS YEUX MALICIEUX VOIENT LES FORCES CACHÉES DANS LE TEMPS QUI S'ÉCOULE...

... AINSI ONT-ELLES VU QUE LE ROI D'AUJOURD'HUI SERA DESTITUÉ PAR UN PRINCE LÉGITIME, QUI PAR LÀ, À SON TOUR, DEVIENDRA ROI!.....

MAIS! JE N'AI PAS DE FILS LÉGITIME!... JE N'EN AI JAMAIS EU!... TU LE SAIS, AVANT QUE LA REINE NE DISPARAISSE DIEU SAIT OÙ, JE NE SUIS JAMAIS ENTRÉ DANS SON LIT!.... À CAUSE JUSTEMENT DE LA PRÉDICTION!!

ET ARGON, SIRE?....

ARGON! CE MAUDIT BÂTARD EST FILS DE SERVANTE, UNE TRAÎNÉE QUE J'AI CONTENTÉE UN SOIR DE BEUVERIE!!

POURTANT C'EST DE LUI QUE VIENT LE DANGER!... IL COMPLOTE CONTRE VOUS!.... IL EST EN PLUS DOUÉ DE GRANDE INTELLIGENCE ET DE FOURBERIE PLUS GRANDE ENCORE....

IL N'EST PAS LÉGITIME!! IL NE PEUT RIEN!! RIEN! RIEN!

MAIS.....
MESSIRE
ARGON !...

LE CAPITAINE
DU ROI, MON
MAÎTRE, QUI
VOUS EST
TOUT DÉVOUÉ,
NE COMPREND
PAS !....

...LE CAPITAINE DAMMARTIN, LE PETIT SEIGNEUR,
COMME ON L'APPELLE.....LUI ET SES ÉCORCHEURS
SONT POURTANT BIEN RALLIÉS À NOTRE CAUSE
...., PUISQU'ILS ÉPUISENT LES CAMPAGNES DU
ROI POUR VOUS SERVIR......

ALORS, TU DEMANDERAS
À ARGON POURQUOI IL
M'INDIQUE LES VILLAGES
OÙ DAMMARTIN VA ATTA-
QUER POUR QU'À MON
TOUR JE LE GUERROIE...

TU DIRAS AU CAPITAINE
DU ROI QUE JE LE
REMERCIE DE LA
CONFIANCE QU'IL PLACE
EN MOI !....

ET IL A AJOUTÉ ...QUE
VOUS CONNAISSIEZ
COMME LUI LE TEMPÉRA-
MENT INSTABLE ET
IMPRÉVISIBLE DE
DAMMARTIN .....

POUR L'AMENER À
MERCI, IL FAUT DONC
L'AFFAIBLIR .....

...PENDANT QU'EN
LE COMBATTANT
VOUS USEZ LES
HOMMES DU ROI,
DAMMARTIN
PERD LES SIENS,
ET QUI PLUS
EST, LE ROI VOUS
SAIT GRÉ DE
LA FAÇON DONT
VOUS LE
DÉFENDEZ !
.....

22.

FOUTRE-DIEU!! IL DOIT Y AVOIR QUELQUE TRAHISON LÀ-DESSOUS!... CES DIABLES BLEUS NOUS ATTENDAIENT! ..... ILS ÉTAIENT RENSEIGNÉS!!

D'OÙ CELA PEUT-IL VENIR?

ARGON!

ARGON?...MAIS MESSIRE!... POURQUOI FERAIT-IL CELA?... NOUS SOMMES AVEC LUI!

M'...OUI!... MAIS...PAR JE NE SAIS QUELLE MAGIE, TOUS LES COUPS DES HOMMES DU ROI N'ÉTAIENT JAMAIS POUR MOI!...... POUR UN PEU, ILS M'AURAIENT EMBRASSÉ!

ILS OBÉISSAIENT À UN ORDRE! ..... ET SEUL ARGON A INTÉRÊT À ME VOULOIR EN VIE!... MAIS À SA MERCI!.....

ALORS!... QUE FAIRE?

PATIENCE!... ...IL NOUS RÉUNIT DEMAIN AVEC DE LA MARCHE ET AIGUE PERSE... JE ME PROPOSE DE DON-NER UN PEU D'ANIMA-TION À CETTE PETITE RÉUNION!.....

ÇA Y EST MESSIRE!!... ARGON SE DIRIGE VERS LA TOUR!!

MM!...PARFAIT!... ALLONS-Y!...JE VEUX VOIR LE FUTUR ROI S'EMPLOYER À SES AMOURS!...

PAR ICI, MESSIRE...
IL Y A UNE FENÊTRE
OÙ QUELQUE FOIS
ON L'APERÇOIT !!...

LÀ-BAS !...REGARDEZ !

MAIS !...QUI EST CETTE FEMME ?...
QUE SAIT-ON D'ELLE ?.....

PEU DE CHOSES !
...C'EST UN
MYSTÈRE....
ON SAIT SEULE-
MENT QU'ARGON
LA RETIENT
CAPTIVE !....

POURQUOI ?
.....

IMPOSSIBLE DE
RÉPONDRE !....
IL FAUDRAIT POSER
TOUTES CES QUES-
TIONS À ARGON
LUI-MÊME !....

EH!EH!... ON DIRAIT QU'IL MÈNE MOINS BIEN LES AFFAIRES SENTI-MENTALES QUE LES COMPLOTS!....

...EH OUI! LE REBELLE RECULE DEVANT LA BELLE!!

EH! REGARDEZ!! VOILÀ LE BÂTARD QUI ARRIVE POUR FAIRE SA COUR!!

LE LENDEMAIN MATIN, ARGON LE BÂTARD TIENT CONSEIL DE GUERRE AVEC LES TROIS SEIGNEURS DE GALTHÉDOC: ANTOINE DE LA MARCHE, GUILLAUME D'AIGUE PERSE, ET LE CAPITAINE DAMMARTIN.....

MES SEIGNEURS, MES AMIS !... VOUS LE SAVEZ !.. LA FOLIE DU ROI S'AGGRAVE... OR, L'UNITÉ ET LA FORCE DE GALTHÉDOC DOIVENT AVANT TOUT ÊTRE À L'IMAGE DE L'UNITÉ ET DE LA FORCE DU ROI LUI-MÊME !....
IL EN A TOUJOURS ÉTÉ, ET IL EN SERA TOUJOURS AINSI...
LE ROYAUME, C'EST LE ROI !!

LA FOLIE QUI S'EMPARE AINSI PEU À PEU DE LA PERSONNE DU ROI S'ÉTEND MAINTENANT À LA PRESQUE TOTALITÉ DU PAYS....

LES RÉCOLTES SONT MAIGRES, ET PLUS AUCUNE FEMME NE VEUT NAÎTRE EN GALTHÉDOC QUI SE VOIT PRIVÉ D'AVENIR.....

IL NOUS FAUT ABSOLUMENT RETROUVER UN ROI FORT... ET LE SEUL DESCENDANT DIRECT DE JEHAN XI, C'EST MOI !!

....MAIS.... MESSIRE ARGON! LA PRÉDICTION DU MAGE AUX CENT MILLE VIERGES?? VOUS SEMBLEZ L'OUBLIER...

...... NE DIT-ELLE PAS QUE CELUI QUI CHASSERA LE ROI SERA LÉGITIME !?....

26

MESSIRE DAMMARTIN !.. CAPITAINE, MON AMI ! FILS LÉGITIME OU BÂTARD, À TRAVERS TOUT LE ROYAUME, JE SUIS LE SEUL ENFANT DU ROI !

LE BRUIT S'EST POURTANT RÉPANDU, À UNE ÉPOQUE, QU'AVANT DE DISPARAÎTRE, NOTRE BONNE REINE HÉLINOR AVAIT ACCOUCHÉ D'UN PRINCE !.....

ALLONS, MESSEIGNEURS !... SI NOUS SOMMES AUSSI BIEN NÉS, CE N'EST PAS POUR ÉCOUTER LE PEUPLE JACASSER !...
......
NOUS FINIRIONS PAR CROIRE AUSSI QUE LE JOUEUR DE PIPEAU FAIT SE LEVER LE VENT ET POUSSER LES BLÉS !.....

LES PAYSANS, EN TOUT CAS, ACCORDENT BEAUCOUP DE CRÉDIT À CETTE ÉTRANGE MUSIQUE

ILS PENSENT QU'ELLE GUÉRIT AUSSI LES MALADIES....

CAGOTERIES ! BILLEVESÉES, MES AMIS ! S'IL Y AVAIT DANS CET AIR QUELQUE MAGIE FAVORABLE, LE ROYAUME NE SERAIT PAS AINSI MENACÉ DE DÉSORDRE, MISÈRE ET ROYALE FOLIE !!

ALLONS, FI DE CES RÊVERIES !!....
POUR SUPPRIMER LE ROI, LES FORCES ÉTANT ÉGALES, UNE GUERRE OUVERTE PROCÉDERAIT DE MAUVAISE VISION !...

MON PLAN EST DIFFÉRENT !!..

IL COMPREND PLUSIEURS ÉLÉMENTS !.....
TOUT D'ABORD, COMME ON NE PEUT ARRÊTER LA FOLIE DU ROI, IL FAUT LA HÂTER !.....
SON PROPRE CAPITAINE ET SES TROIS MÉMOIRES QUI SONT À MA SOLDE S'Y EMPLOIENT !....

PAR AILLEURS, LES INCESSANTES ATTAQUES DES ÉCORCHEURS DU SEIGNEUR DAMMARTIN AFFAIBLISSENT CONSIDÉRABLEMENT TROUPES ET TERRES ROYALES ....

TOUT CELA NOUS AMÈNERA À LA GRANDE FÊTE DU RENOUVELLEMENT OÙ, TOUS LES ANS, LE ROI MONTRE AU PEUPLE SA VIGUEUR ET SA VAILLANCE EN TERRASSANT SYMBOLIQUEMENT LES DIX MEILLEURS GUERRIERS DU ROYAUME !....

CETTE FOIS, CES DIX SOLDATS SERONT DES NÔTRES ...ET NE SE LAISSERONT PAS FAIRE ! ...HA HA !! ...LE ROI MORT, NOUS AGIRONS, ET LE PEUPLE NOUS SUIVRA !!

AI-JE ADHÉSION ET FIDÉLITÉ DE TOUS ?

NON !

THIBON!

OUI!.. MESSEIGNEURS!...
THIBON, LE LIEUTENANT
D'ARGON!!.....
D'HABITUDE IL PARLE PEU,
MAIS DANS CETTE POSITION,
IL SE LAISSE VOLONTIERS
ALLER À LA CONFIDENCE!...

J'AI AINSI APPRIS
QUE POUR ARGON,
LE PLUS DANGEREUX
DE SES TROIS SEI-
GNEURS ET AMIS,
C'EST MOI!...

ALORS, POUR ME
TENIR, POUR M'AF-
FAIBLIR, SAVEZ-
VOUS CE QU'IL A
IMAGINÉ?...

TRÈS SIMPLEMENT,
IL RENSEIGNE LE
CAPITAINE DU ROI,
SON ESPION, SUR
LES VILLAGES ROYAUX
QUE JE ME PRÉPARE
À ATTAQUER....

AINSI, J'ÉPUISE MES TROUPES POUR QUE DIMINUE LA PUISSANCE
DU ROI!...HABILE!..UNE PETITE TRAHISON POUR UNE GRANDE
EFFICACITÉ!...QUI VOUDRA LE LUI REPROCHER?...

ARGON!
QU'AS-TU À
RÉPONDRE?

...TOUT CELA
EST-IL VRAI?

LE CAPITAINE DAMMARTIN
A DIT LA VÉRITÉ!...

TU ES FOU, ARGON!

FÉLON!..TU VAS
PAYER!!

MAUDIT BÂTARD, CETTE FOIS, TU
AURAS DU MAL À T'ENFUIR!

UN INSTANT, MES SEIGNEURS!

AVANT DE M'OCCIRE, PRENEZ LA PEINE DE VOIR CE QUE JE VEUX VOUS MONTRER!

VOYEZ!

EH BIEN, QUE SIGNIFIE?

QUE FAIT CET HOMME LÀ-HAUT?

HM!...JE CROIS SAVOIR QUE VOTRE FILS, À VOUS ANTOINE, COURTISE LA TRÈS CHÈRE FILLE DE NOTRE BON GUILLAUME!

ET...ALORS?...JE NE VOIS PAS!

NE L'ÉCOUTEZ PAS!... IL EST DIABOLIQUE!...IL FAUT LE TUER TOUT DE SUITE!!...

ATTENDS!......QU'IL FINISSE D'ABORD!!

EH BIEN, CES DEUX TOURTEREAUX, JE LEUR AI TROUVÉ UNE CAGE.....POUR NE PAS QU'ILS S'ENFUIENT, BIEN SÛR, MAIS AUSSI POUR LES METTRE À L'ABRI DE TOUS CES SOUCIS!...

NON!!

TU N'AS PAS FAIT ÇA!

S'IL M'ARRIVAIT, NE SERAIT-CE QUE DE PERDRE UN CHEVEU OU DE ME CASSER UN ONGLE, VOUS POURRIEZ DIRE ADIEU À VOS CHERS PETITS!....

MAUDIT!

DANS QUEL GUÊPIER NOUS SOMMES-NOUS FOURRÉS!...JE SAVAIS QU'IL FALLAIT S'EN MÉFIER, DE CE...BATARD!...DE CE FILS DE NULLE PART!

IL NE ME TIENT PAS, MOI!!

UN GESTE DE PLUS, DAMMARTIN, ET C'EST LE DERNIER !....

MAIS !... MAIS CE DIABLE DE BÂTARD ! C'EST UNE ARAIGNÉE ! VOUS ÊTES DANS SA TOILE, MES AMIS, ET VOUS N'EN SORTIREZ PAS !....

PEUT-ÊTRE, MAIS POUR LE MOMENT, TU PEUX COMPRENDRE À QUEL POINT SA VIE NOUS EST CHÈRE !!

PARFAIT !... EN TOUT CAS, À L'AVENIR, VOTRE COMPLOT SE FERA SANS MOI !....... MON ÉPÉE MAINTENANT EST AU SERVICE DU ROI !!

ATTENDS !

POUR TOI AUSSI, EN RÉSERVE, J'AI GARDÉ QUELQUE VILENIE !!
......
LA FEMME DE LA TOUR !
......
SI TU RESTES À MES CÔTÉS, QUAND JE SERAI ROI, ELLE SERA À TOI !....

EH BIEN, DAMMARTIN, TU HÉSITES ?....

UNE ARAIGNÉE !...C'EST TOI QUI L'A DIT !.... TU NE VAS QUAND MÊME PAS TE LAISSER AINSI TENTER ?!.....

IL FAUT QUE JE LA VOIE AVANT !...TU COMPRENDRAS !

...ALLONS, CAPITAINE ! VOYONS !..... L'ATTENTE ET LE MYSTÈRE SONT INSÉPARABLES DU PLAISIR ! .... NE LES BOUDE PAS !!

DEPUIS QU'ELLE ÉTAIT EN-FERMÉE DANS LA TOUR, LA JEUNE FEMME AVAIT DÉJÀ ENTENDU PLUSIEURS FOIS, CET AIR DE FLÛTE, CET AIR COURT, TOUJOURS LE MÊME...

MAIS SOUDAIN, CELA LUI REVINT.... CET AIR, ELLE LE CON-NAISSAIT!... ELLE L'AVAIT DÉJÀ ENTENDU, MAIS CHANTÉ!

OUI!... CET AIR COURT N'ÉTAIT PAS SI COURT, ELLE SE LE RAPPELAIT, ET LA SUITE, ELLE POUVAIT MÊME LA CHANTER....

C'EST ALORS QU'AU MYSTÈRE DE LA FEMME DE LA TOUR QUI LUI RÉPONDAIT, LE JOUEUR DE FLÛTE OFFRIT UNE PARTIE DE SON MYSTÈRE À LUI....

POUR LA PREMIÈRE FOIS, IL SORTIT DE L'OMBRE ET SE MONTRA.

31

LE LENDEMAIN MATIN, COMME CHAQUE MATIN, LE ROI DE GALTHEDOC S'ÉVEILLE EN PROIE À LA TERREUR.

MAIS CETTE FOIS, C'EST PAR LE PROJET DEPUIS LONGTEMPS RUMINÉ, QU'IL EST TERRIFIÉ...

ET PENDANT QUE LES TROIS MÉMOIRES RÉCITENT LEUR HABITUELLE LITANIE MATINALE...

LE ROI CROIT SAVOIR QUE SI SA MÉMOIRE, PEU À PEU DISPARAÎT, C'EST JUSTEMENT À CAUSE DE CES TROIS-LÀ QUI, SANS CESSE SONT LÀ POUR LE LUI RAPPELER !...

NON, IL NE CROIT PAS SAVOIR... IL SAIT !

AAAH!

SIRE! QUE SE PASSE-T-IL ?

SIRE! CETTE FOIS, VOUS ÊTES COMPLÈTEMENT FOU !

JUSTEMENT NON !

MAINTENANT, EN PLUS DE MON PRESSENTIMENT ET DE CE SOI-DISANT ROYAUME QUE TU NE RETROUVES PAS, ON VA BOUFFER FROID!

ET ALLEZ! PLUS DE BRIQUET, PLUS D'ALLUMETTES!

DÉCIDÉMENT, J'AI DE PLUS EN PLUS L'IMPRESSION QUE CES MARAIS M'ENSERRENT, M'ÉTOUFFENT, ET QUE JE NE POURRAI JAMAIS PLUS M'EN ÉCHAPPER ...ARTHIS?

IL DORT DÉJÀ!..

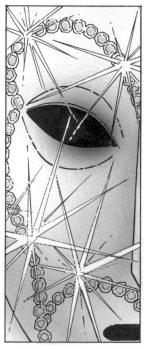

AAAH! LE MASQUE ...LA.. ..LA LUMIÈRE ...ET LA MUSIQUE ...LA MUSIQUE!... JE NE L'ENTENDS PAS ...?

ARTHIS! ...RÉVEILLE-TOI!

J'AI ....J'AI ENTENDU UN AIR DE FLÛTE TRÈS ÉTRANGE ... UN AIR COURT, TOUJOURS LE MÊME !..

UN AIR DE FLÛTE ?..TU..TU ES SÛRE ?..TU N'AS PAS RÊVÉ !?

NON ! IL M'A RÉVEILLÉE ! IL ÉTAIT BIEN RÉEL ...ÇA VENAIT DE PAR LÀ , JE CROIS !

IL N'Y A PAS UNE MINUTE À PERDRE !..! FAUT LE RETROUVER !

ÇA Y EST ! TU L'ENTENDS ? UN AIR COURT ! TOUJOURS LE MÊME !!

ÇA ALORS !.. CET AIR ..JE.. JE CROIS QUE JE L'AI DÉJÀ RÊVÉ !...JE LE RECONNAIS...

JE SUIS SÛR QU'IL VIENT DU ROYAUME ! IL FAUT NOUS LAISSER GUIDER !..

C'EST NOTRE SEULE CHANCE MAINTENANT DE RETROUVER GALTHEDOC !

34

ANNE!
ÇA Y EST!
JE CROIS QUE
NOUS Y SOMMES!

ÉCOUTE,....
LA MUSIQUE!
....
ELLE VIENT
DE L'ARBRE,
LÀ!!

C'EST IMPOSSIBLE! IL N'Y A
PERSONNE DERRIÈRE OU
DANS L'ARBRE!...POURTANT
L'AIR DE FLÛTE VIENT DE LÀ!

ALORS C'EST L'ARBRE!
....UN ARBRE
MUSICIEN!...DIS DONC,
C'EST LE PAYS DES
MERVEILLES,
TON ROYAUME!

CE N'EST PAS
L'ARBRE...

JE M'APPELLE
JOACHIM!
ET JE VOUS
ATTENDAIS...
EST-CE QUE
VOUS ME
COMPRENEZ?

EUH.. OUI.. OUI, VOUS AVEZ UNE SORTE DE
FORT ACCENT BERRICHON, MAIS ON COMPREND!

...OUI...BON ....MAIS... VOUS AVEZ
DIT QUE VOUS NOUS ATTENDIEZ??

UN INSTANT.

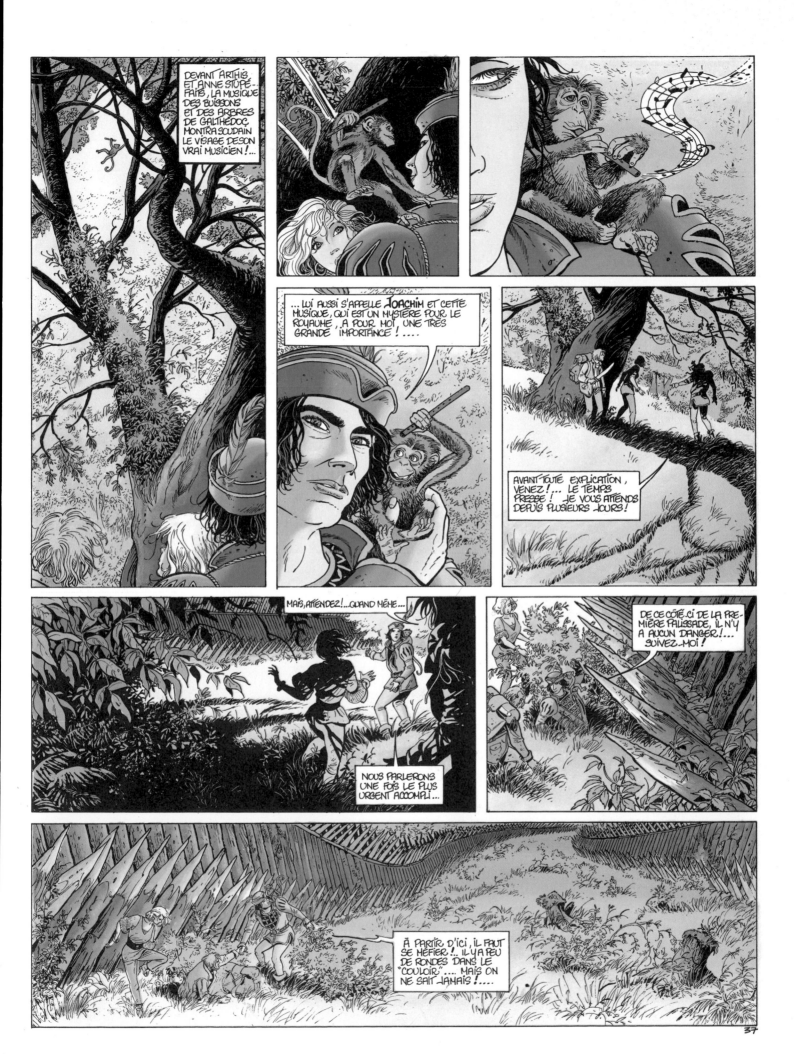

DE L'AUTRE CÔTÉ, C'EST PLUS SÉRIEUX!.. UN PEU DE RUSE EST NÉCESSAIRE!.

JOACHIM SE CHARGE DE TOUT! ... IL VA ATTI- RER LES GARDES PLUS LOIN PENDANT QUE NOUS PASSERONS!

EH!...ÉCOUTEZ! L'AIR DE FLÛTE!!

LA MUSIQUE QUI PORTE BONHEUR!

ÇA VIENT DE PAR LÀ! VENEZ! LA LÉGENDE DIT QUE CELUI QUI VOIT LE MUSICIEN VIT CENT ANS!... JE LE VERRAI! HÉ!..VENEZ!...VENEZ!

VOILÀ ! C'EST LÀ !

C'EST LÀ QUOI ?... EXPLIQUEZ-VOUS À LA FIN !

PAS LE TEMPS !.. IL Y A LÀ QUELQU'UN À DÉLIVRER ! IL FAUT FAIRE VITE !

MAIS... ÉCOUTEZ !..

BON, PENDANT QUE TU RESTES LÀ À RÉFLÉCHIR ET À T'INQUIÉTER, JE VAIS AVEC JOACHIM ! IL A DIT QUE C'ÉTAIT URGENT !

... CE N'EST PAS NORMAL !.. IL N'Y A PLUS AUCUN GARDE !...J'AI BIEN PEUR QUE .... QUE NOUS N'ARRIVIONS TROP TARD !

DIS DONC, ANNE !.. JE RÊVE OU TU ES EN TRAIN DE ME PRENDRE POUR UN IDIOT !... J'AI QUAND MÊME LE DROIT DE .....

NE PERDONS PAS DE TEMPS ! IL FAUT FAIRE VITE..

TU AS ENTENDU !.. JOACHIM A DIT QU'IL FALLAIT FAIRE VITE !

..ET MERDE, AVEC TON "JOACHIM A DIT" !

SCHTT !!

SCHT !.. JOACHIM A DIT DE NE PAS FAIRE DE BRUIT !

ANNE ! TU COMMENCES SÉRIEUSEMENT À ME...

?!

39

BON DIEU!.. LE... LE MASQUE!
... MON RÊVE!!

...COMMENT
EST-CE...
POSSIBLE..

??TOI?

SAUVEZ-VOUS!
SAUVE-TOI, ARTHIS!
C'EST UN PIÈGE!!
C'EST ARGON!!
IL EST FOU!! FOU
ET DIABOLIQUE!!

VOUS,
PRINCE!
MAIS...??

TU LUI AVAIS
PARLÉ DE MOI!
.... IL EST VENU
ME CHERCHER
DANS LA PRISON!

IL VEUT M'ÉPOUSER
POUR QUE ÇA L'AIDE
À DEVENIR ROI...

L'ANCIENNE
REINE ÉTAIT
DU GRAND
PAYS COMME
MOI!!

..IL...IL DISAIT QUE TU
ÉTAIS SON PRISONNIER!
... MON CONSENTEMENT
CONTRE TA VIE!...
C'ÉTAIT SON MARCHÉ!
C'EST COMME ÇA
QU'IL ME TENAIT!

...MAIS.... MAIS JE VOULAIS TE VOIR AVANT!.....

...VOUS LE VOYEZ, MAINTENANT! ALORS, ASSEZ PERDU DE TEMPS!.. ALLEZ!

MAIS! LÂCHEZ-MOI!! ...QUE ...QUE VOULEZ-VOUS FAIRE?...ET MON REPORTÂGE? MES PHOTOS!!..

ARGON! FÉLON! .... TU CHERCHES ENCORE À ME TROMPER!!

ARGON! LÀ-BAS! VITE!!

41

ILS NOUS ÉCHAPPENT..
MAIS !!

...LE...PRES...PRESSENTIMENT...

RESTEZ CALME !....
IL FAUT ESSAYER
DE RETIRER LA
FLÈCHE !

....INUTILE ....
...MAINTENANT
JE SAIS ....JE SAIS
CE QU'IL VOULAIT
ME DIRE .....

LES ...LES
MARAIS !
.....
JE N'EN
SORTIRAI
JAMAIS !...
MON PRESSEN-
TIMENT ?.. IL
... IL LE
SAVAIT...
ET....
JE...

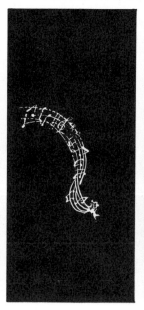

...LE...PRES...PRESSENTIMENT...

...CETTE...CETTE MUSIQUE.
....
EST-CE POSSIBLE,...

..., ELLE NE VIENT PAS DE L'ARBRE... ELLE SORT DU RAYON DE SOLEIL... OUI, C'EST ÇA! C'EST LA LUMIÈRE QUI JOUE CE DRÔLE D'AIR... COURT, TOUJOURS LE MÊME!!

JO... JOACHIM!

JOACHIM... ET LE PETIT SINGE!!... MAIS... ALORS... JE... JE NE SUIS PAS...

...MORTE!... NON! OU ALORS JOACHIM ET MOI LE SOMMES AUSSI!

ALORS... MON.... MON PRESSENTIMENT!

EH BIEN C'ÉTAIT UN MAUVAIS MAUVAIS PRESSENTIMENT!

MAIS JOACHIM! EXPLIQUEZ-MOI! JE SUIS PERDUE!... COMPLÈTEMENT PERDUE... ..QUI EST ARGON?..ET VOUS... QUI ÊTES-VOUS?

OH... VOUS SAVEZ, SUR MOI, IL Y A TRÈS PEU À DIRE POUR TOUT SAVOIR!
.....
POUR ÊTRE EXACT... JE NE SAIS PAS QUI JE SUIS.

43

OUI, À MA NAISSANCE, J'AI ÉTÉ ENLEVÉ À MES PARENTS ET PLACÉ CHEZ DES PAYSANS.. ...POUR DES RAISONS QUE J'IGNORE ENCORE !...

J'AI ENSUITE ÉTÉ ADOPTÉ PAR MAÎTRE APIS, LE MAGE AUX ABEILLES !.. C'EST LUI QUI M'A APPRIS TOUT ÇA !.... IL M'A AUSSI EXPLIQUÉ QUE DANS LE MÊME TEMPS, D'AUTRES ENFANTS EN BAS ÂGE AVAIENT SUBI LE MÊME SORT.!

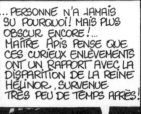

...PERSONNE N'A JAMAIS SU POURQUOI ! MAIS PLUS OBSCUR ENCORE !... MAÎTRE APIS PENSE QUE CES CURIEUX ENLÈVEMENTS ONT UN RAPPORT AVEC LA DISPARITION DE LA REINE HÉLINOR, SURVENUE TRÈS PEU DE TEMPS APRÈS !

... ET... ET TOUT ÇA EST RESTÉ INEXPLIQUÉ !

...MAIS J'AI UN ESPOIR ! UN ESPOIR QUE VOICI !

DEPUIS MA TOUTE PREMIÈRE ENFANCE, J'AI TOUJOURS EU EN TÊTE UNE ÉTRANGE MUSIQUE ...TOUT LE TEMPS JE LA SIFFLAIS JE LA CHANTAIS ..ET JE LA JOUAIS !

ALORS, TOUT NATURELLEMENT, L'IDÉE M'EST VENUE, PLUS TARD, D'EN JOUER QUELQUES NOTES, UN PEU PARTOUT, DANS L'ESPOIR QU'UN JOUR, PEUT-ÊTRE, QUELQU'UN LA RECONNAÎTRAIT.....

JOACHIM M'A AIDÉ À FAIRE DE CET AIR COURT UN MYSTÈRE, CE QUI A ACCRU CONSIDÉRABLEMENT SON EFFICACITÉ ... IL JOUE D'AILLEURS MIEUX QUE MOI !... IL EST PLUS DOUÉ !

JE ....JE SUIS DU GRAND PAYS .... J'ÉTAIS ENFERMÉE DANS LA GRANDE PRISON SOUTERRAINE DU ROI !.... ET IL Y AVAIT LÀ-BAS UNE VIEILLE FEMME QUI FREDONNAIT SOUVENT CETTE CHANSON !....

BREF, LE MIRACLE S'EST FINALEMENT PRODUIT !.... LA JEUNE FEMME DE LA TOUR CONNAISSAIT L'AIR !.... ELLE M'A MÊME CHANTÉ LE SECOND COUPLET !

C'EST ELLE AUSSI QUI M'A DIT QU'ARGON, LE BÂTARD DU ROI, AVAIT ENVOYÉ ARTHIS FAIRE UN... COMMENT DÉJÀ... "REPORTAGE" SUR LE GRAND PAYS...

IL L'A EN FAIT, TROMPÉ, EN LUI FAISANT CROIRE À UNE ÉVENTUELLE RÉUNION, ENTRE LES DEUX PAYS.... IL PENSAIT, EN RÉALITÉ, QU'ARTHIS LUI RAMÈNERAIT QUELQUE SECRET DE PUISSANCE POUR MIEUX DÉTRÔNER SON PÈRE ET ASSEOIR SA DOMINATION SUR GALTHEDOC...

MAIS LA FEMME DE LA TOUR A FINI PAR COMPRENDRE QU'ARTHIS N'ÉTAIT PAS ENCORE REVENU.... C'EST POURQUOI AVANT DE TENTER QUOI QUE CE SOIT POUR LA DÉLIVRER, ELLE M'A ENVOYÉ L'ATTENDRE À L'ENTRÉE DU ROYAUME POUR LE PRÉVENIR....

NOUS SOMMES ICI CHEZ LE CAPITAINE DAMMARTIN QUI A ÉTÉ LUI AUSSI SÉRIEUSEMENT TOUCHÉ!... ...IL ENRAGE CAR IL PENSE QUE NOUS AVONS PERDU LA PARTIE!

ARGON VA RÉUSSIR À ÉPOUSER LA JEUNE FEMME BRUNE, ET IL SERA TROP TARD... CAR LE MARIAGE, ICI, EST INDÉFECTIBLE!

AH ... MAIS COMMENT ? ...

NOUS EN REPARLERONS.. ...POUR LE MOMENT, IL FAUT VOUS SOIGNER...

JOACHIM...

OUI ?

NON.. RIEN !

45

COMME CHAQUE MATIN LE ROI DE GALTHÉDOC S'ÉVEILLE EN PROIE À LA TERREUR....

...MAIS CE SONT LES DERNIÈRES NOUVELLES DE SON ROYAUME QUI, CETTE FOIS, LE METTENT EN ÉMOI....

...NON...NON!...ARGON EST FOU!...OUI, IL EST MÊME PLUS FOU QUE MOI!... ...MAIS IL NE PEUT RIEN, IL N'EST PAS LÉGITIME!

...ET...COMMENT A-T-IL OSÉ?... FAIRE PORTER UN MASQUE DE SOLEIL À UNE FEMME QUE...QUE PERSONNE NE CONNAÎT...LA REINE SEULE A CE DROIT...ET IL N'Y A QU'UNE REINE EN GALTHÉDOC! MOI SEUL SAIS OÙ ELLE EST!... HÉ-HÉ!....OUI... UNE SEULE REINE ... ET UN ROI!

UN SEUL ROI! GALTHÉDOC EST MON ROYAUME!.. IL EST EN MOI!...LE VENT QUI SOUFFLE SUR SES FORÊTS EST MON SOUFFLE À MOI... ET LE SANG QUI COULE DANS MES VEINES N'EST PAS DIF-FÉRENT DE L'EAU QUI GONFLE SES RUISSEAUX!... ..... LE ROYAUME, C'EST MOI!

JE SUIS LE SEUL ROI!

DESSIN : L. VICOMTE
TEXTE : P. MAKYO
COULEURS : QUILICI

PROCHAIN ET DERNIER ÉPISODE:
LA PIERRE DE FOLIE.

46

MAKYO   VICOMTE

BALADE AU BOUT DU MONDE

4·LA PIERRE DE FOLIE

Glénat

HORRRS DU COEURRR C'EST LE MALHEURRR !

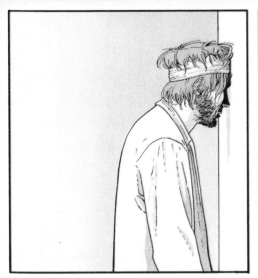

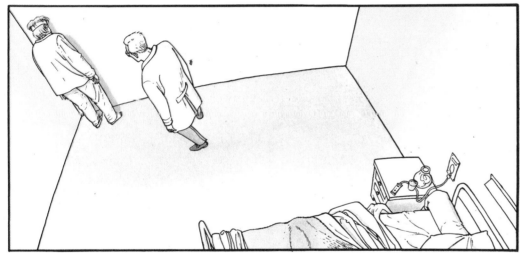

ARTHIS
....
VOYONS
ARTHIS !..

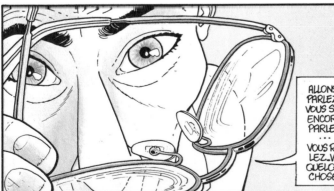

ALLONS !
PARLEZ !
VOUS SAVEZ
ENCORE
PARLER !
...
VOUS RAPPE-
LEZ...VOUS
QUELQUE
CHOSE ?

DE QUELQUE CHOSE
DE QUELQUE CHOSE
DE QUELQUE CHOSE
DE QUELQUE CHOSE
DE QUELQUE
DE QUEL
DE QUE...

1

OUI! OUI! BRAVES GENS DE GALIHÉDOC! OUI MES AMIS! LA FEMME REVIENDRA!

POUR QUE LA FEMME REVIENNE...

LA FEMME REVIENDRA...

POUR QUE LA FEMME REVIENNE...

LA FEMME REVIENDRA...

DEPUIS QUE NOTRE BONNE ET GRANDE REINE HÉLINOR A MYSTÉRIEUSEMENT DISPARU, IL Y A DÉJÀ TANT D'ANNÉES, AVEC ELLE, C'EST LE FÉMININ QUI PEU À PEU S'EN EST ALLÉ! VOICI PLUS DE SIX ANS QUE PAS UNE SEULE FEMME N'EST VENUE NAÎTRE EN CE ROYAUME!

CETTE GROTTE, C'EST ELLE, HÉLINOR QUI EN AVAIT FAIT UN SANCTUAIRE EN L'HONNEUR DE LA SAINTE FEMME DU CIEL QUI NOUS GUIDE ET NOUS PROTÈGE!...

RAPPELEZ-VOUS CE QU'ELLE DISAIT:
.....
LE FÉMININ SOUFFLE EN SECRET SUR L'ESPRIT MÂLE!... ET LE VENTRE DE LA FEMME DONNE À L'HOMME L'EXPÉRIENCE DE LA TOMBE ET DU BERCEAU!.....

CETTE "CAVERNE" OBSCURE EST LIEU D'INITIATION!....

C'EST DONC DE CET IMMENSE VENTRE DE FEMME QUE LE MIRACLE POUR NOUS VA SE REPRODUIRE... QUE TOUT VA RECOMMENCER...

L'AVEZ-VOUS OUBLIÉ ! LA REINE ÉTAIT DU GRAND PAYS !... ET C'EST DE CETTE ORIGINE QU'ELLE TENAIT LA FORCE ET LA FOI QUI L'HABITAIENT !

EH BIEN, LA MÈRE CÉLESTE A PARDONNÉ ! ET UNE AUTRE FEMME DU GRAND PAYS AUJOURD'HUI NOUS EST DONNÉE !

OH ÇA !

SI FAIT !

SAINTE MÈRE DU CIEL ! EST-CE POSSIBLE ?!

JE...JE NE ME RAPPELLE PLUS !..... COMMENT ÉTAIT LA REINE ?

IL ME SEMBLAIT QUE LES HABITANTS DU GRAND PAYS ÉTAIENT PLUS GRANDS !

OH OUI ! POUR ÇA OUI !... DIÉ !... ET AVEC UNE TÊTE PLUS GROSSE BEAUCOUP PLUS GROSSE !!

ALLONS ! C'EST LE MOMENT ! DIS-LEUR CE QUE JE T'AI APPRIS !... ET NE SOIS PAS ÉTONNÉE ! ILS VONT T'ACCLAMER ! OUI ! À CAUSE DE L'ACCENT ! À CAUSE DE CET ACCENT, TOUT CE QUE TU DIS EST MAGIE !...HÉ !...NE L'OUBLIE PAS ! TU VIENS DU GRAND PAYS !

LA FÉMINITÉ EN MOI, LA FÉMINITÉ PAR MOI, ENFIN ET POUR DE NOMBREUSES ANNÉES VOUS REVIENT !

ET...HON...HON MARIAGE AVEC ARGON, LE SEUL VRAI FILS DE ROI, RÉUNIT À NOUVEAU LES DEUX GRANDS OPPOSÉS, L'HOMME ET LA FEMME, LE COUPLE ROYAL SYMBOLE D'UNITÉ ET DE PROSPÉRITÉ !

QUI PARLE D'AMOUR ?... OUI, ENFANTS! QUI PARLE D'AMOUR, ALORS QUE LES MONDES DÉFAITS CHERCHENT ENCORE POURQUOI L'HOMME ET LA FEMME SONT SI ÉLOIGNÉS DE LEUR UNITÉ!

OUI! QUI PARLE D'AMOUR, ALORS QU'ICI, C'EST LE PLUS GRAND DANGER QUI EST ÉVOQUÉ!...

LE MARIAGE ENTRE L'EAU DE LA TERRE ET LE FEU DU CIEL!

CAR L'HOMME ET LA FEMME NE SONT PAS FAITS POUR S'AIMER MAIS POUR SE DÉCHIRER!

CHACUN EST CONÇU POUR ARRACHER LA CHAIR DE L'AUTRE ET ABSORBER AINSI SA DIFFÉRENCE!....

AINSI, À CHAQUE BOUCHÉE, VOUS LE VERREZ, C'EST UN PEU DE SENS QUI APPARAÎT!!

MAIS IL FAUT ALLER JUSQU'AU BOUT DU COMBAT! ET COMME LE DANGER FAIT PARFOIS HÉSITER, IL FAUT QU'UN AUTRE DANGER SURVEILLE CEUX QUI VOUDRAIENT SE RETOURNER!

VOILÀ POURQUOI LES ARCHERS PRÊTRES, ET PRÊTRESSES SONT ICI VOS TÉMOINS!... SI L'UN OÙ L'AUTRE TRAHIT, ILS SONT PERSONNELLEMENT OUTRAGÉS ET SEULE LA MORT DE L'INFIDÈLE POURRA LES VENGER!

OUI! OUI! ENFANTS QUE VOUS ÊTES! EN VÉRITÉ QUI PARLE D'AMOUR, ALORS QU'ICI, C'EST LE PLUS GRAND DANGER QUI EST ÉVOQUÉ!!

JE VOUS HAIS! VOUS ENTENDEZ? JE VOUS HAIS! JE VEUX QUE VOUS LE SACHIEZ!

TROP TARD!... ILS SONT MARIÉS!

MM... PARFAIT! JE VOIS QUE VOUS AVEZ BIEN COMPRIS CE QUE LA PRÊTRESSE VOUS A DIT!

...J'AVAIS RAISON D'ESPÉRER!...

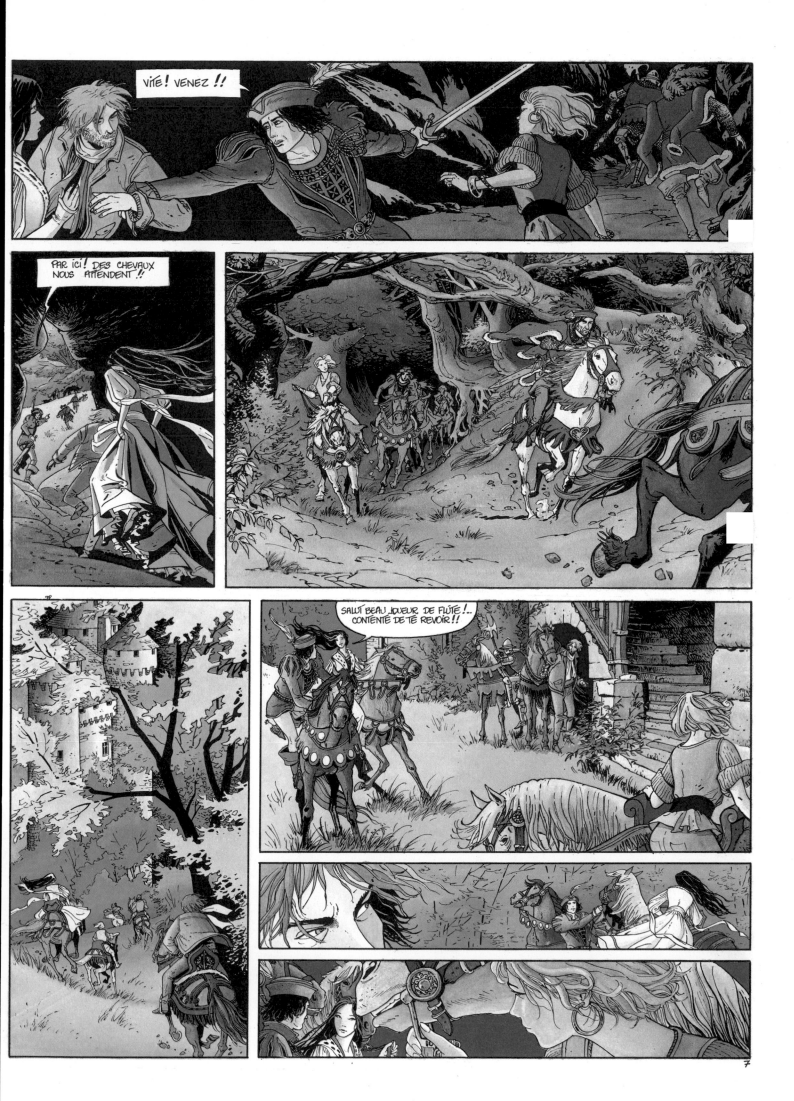

LE MÊME SOIR...

ENTREZ !... NOUS ÉTIONS EN TRAIN DE RÉSUMER LA SITUATION !

VOUS CONNAISSEZ, JE PENSE, LES DIVERSES FORCES EN PRÉSENCE...

MM... OUI... EFFECTIVEMENT... ON COMMENCE À CONNAÎTRE...

ACTUELLEMENT, DANS LE ROYAUME DE GALTHÉDOC, LE ROI, PRESQUE FOU, N'EST PLUS EN MESURE DE GOUVERNER. ET SON FILS BÂTARD, ARGON, S'EMPLOIE À LE DESTITUER AVEC L'AIDE DE DEUX AUTRES SEIGNEURS : ANTOINE DE LA MARCHE, ET GUILLAUME D'AIGUE-PERSE !

ET IL Y A NOUS .... À TRAVERS LE PAYS, UN MOUVEMENT DE PROTESTATION ET DE RÉVOLTE S'EST PROPAGÉ ... DE PETITS NOYAUX DE RÉSISTANCE SONT NÉS !...

OR, TOUJOURS À LA RECHERCHE DE MES ORIGINES, J'AI FINI PAR JOUER MON AIR COURT, TOUJOURS LE MÊME, SANS ME CACHER ....

ET CE SIMPLE PETIT AIR DE FLÛTE, DÉJÀ TRÈS POPULAIRE, A PEU À PEU RALLIÉ L'ENSEMBLE DES MÉCONTENTS QUI, FINALEMENT, SE SONT REGROUPÉS DERRIÈRE MOI !...

DIS.. ARTHIS ... ÇA VA ?... TU T'AMUSES BIEN ?...

... ON RENTRE QUAND ?

CHUUUTT...

DAMMARTIN, DONT NOUS SOMMES LES HÔTES, CROIT EN MOI ET A CHOISI DE NOUS AIDER !

VOILÀ !... NOUS EN SOMMES LÀ !... NOUS SAVONS QU'ARGON A UN PLAN TRÈS PRÉCIS POUR METTRE FIN AU RÈGNE ET À LA VIE DU ROI, MAIS NOUS N'AVONS AUCUNE INFORMATION PRÉCISE À CE SUJET !...

JE CROIS QUE LE ROI LUI-MÊME IGNORE TOUT DE CE PROJET !

MAJESTÉ! ENFIN! CE N'EST PAS SÉRIEUX!

AU CONTRAIRE C'EST TRÈS SÉRIEUX! ..... J'AI TROIS CONCUBINES ET J'AIME À LA PASSION CELLE QUI PRÉCISÉMENT PRÉFÈRE MOURIR PLUTÔT QUE DE M'AIMER! ....

JE SUIS BIEN OBLIGÉ, POUR L'AIMER, DE ME FAIRE REM-PLACER! ... CET HOMME M'EST TOUT DÉVOUÉ! ... ET QUAND IL L'AIME, IL L'AIME POUR MOI!

JE SUIS LE ROI! ... JE PEUX TOUT! ... MÊME FAIRE FAIRE L'AMOUR POUR MOI!?

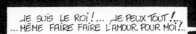

ET D'ABORD !...QU'EST-CE QUE TU FAIS LÀ, CAPITAINE ?... TU ME DÉRANGES DANS MON INTIMITÉ MAINTENANT ?

C'EST QUE... C'EST POUR UNE CHOSE GRAVE !

VOUS LE SAVEZ, MAJESTÉ !... DES BRUITS ONT COURU SELON LESQUELS UNE DE VOS CONCUBINES VOUS ESPIONNAIT POUR ARGON ....

CALOMNIE ! ON VEUT ME RENDRE FOU !

MALHEUREUSEMENT, J'AI RÉUSSI À INTER-CEPTER UN DOCUMENT ACCABLANT !

UNE LETTRE D'ARGON AVEC SON CACHET ET SA SIGNATURE, DESTINÉE À UNE DE VOS TROIS COURTISANES ...

... PRÉCISÉMENT CELLE QUE VOUS AIMEZ !

... ELLE ..!

10

CE ... CE N'EST PAS MOI !...

EN VOILÀ ASSEZ !... DANS CETTE AFFAIRE, JE NE PUIS FAILLIR !... PARLE ! PARLE ! SINON TON FIANCÉ... JE... JE LE FAIS ÉMASCULER !!

NOOOONN

ARRÊTEZ ! ARRÊTEZ ! CE N'EST PAS ELLE !

LA COUPABLE C'EST MOI !... C'EST MOI QUI VOUS ESPIONNAIS, MAJESTÉ !... LA LETTRE EST FAUSSE ! ELLE FAIT PARTIE D'UN PLAN D'ARGON POUR ME PROTÉGER, ET VOUS ATTEINDRE DANS TOUT CE QUE VOUS AIMEZ !

MON FRÈRE EST MORT À CAUSE DE VOUS ! ARGON M'A PROPOSÉ DE VOUS LE FAIRE PAYER !...

AH !... BON !... LES CONCUBINES ONT DES FRÈRES, MAINTENANT ?!

SI... SI VOUS ME LAISSEZ LA VIE SAUVE, JE... JE VOUS DONNERAI LE NOM DU PLUS PRÉCIEUX ESPION D'ARGON !!

ÇA SUFFIT ! EMMENEZ-LA ! ELLE PARLE UNIQUEMENT POUR SE SAUVER !... ASSEZ DE...

ATTENDEZ, CAPITAINE ! ATTENDEZ !

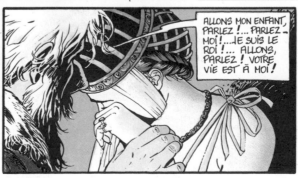

ALLONS MON ENFANT, PARLEZ !... PARLEZ-MOI !... JE SUIS LE ROI !... ALLONS, PARLEZ ! VOTRE VIE EST À MOI !

11

TOI! TOI! MON AMI! MON... MON CONFIDENT! TOI!

AMI! AMI! COMMENT AS-TU PU??

MAIS, PARCE QUE VOUS ÊTES FOU!! COMPLÈTEMENT FOU!!
• • • • • •
AVEC VOUS LE ROYAUME EST PERDU!..SEUL ARGON PEUT ENCORE NOUS SAUVER!!

VOS JOURS SONT COMPTÉS! ...TOUT EST PRÊT!...C'EST UNE SIMPLE QUESTION DE TEMPS!..

AAAAAH! MAIS LE TEMPS! LE TEMPS!...J'EN FAIS CE QUE J'EN VEUX, DU TEMPS!

JE PEUX PROMULGUER ICI MÊME, MAINTENANT UN DÉCRET QUI RALLONGE LES ANNÉES! AH AH AH

HÉ! HÉ! JE... JE VAIS MÊME FAIRE UNE LOI QUI RACCOURCIRA LES NUITS!!...AH! AH! TU VOIS! PARCE QUE ÇA TU NE LE SAIS PAS, TOI!!

MAIS, JE L'AI DÉCOUVERT! C'EST LA NUIT QU'ON VIEILLIT! OUI... HI HI! LA NUIT!!

EN ATTENDANT, TU VAS ME DIRE CE QUI EST PRÊT!... ET POUR QUAND! PARCE QUE POUR TOI, C'EST FINI! HI! HI!... POUR TOI, C'EST DÉJÀ LA NUIT!... ET JE NE TE TUERAI PAS AVANT QUE TU M'AIES TOUT DIT!!....

AAH!... Y'EN A MARRE DE CETTE GADOUE!

ET VOUS... ÇA VOUS PLAÎT TOUT ÇA? LA BOUE... LES CHÂTEAUX LES HISTOIRES DE CAPE ET D'ÉPÉE?

UN ARCHER-PRÊTRE! C'EST POUR ELLE!!

13

VOILÀ... JE CROIS QUE TOUT EST PRÊT !.... TREIZE JOURS ET TREIZE NUITS, MES AMIS... AVANT LA GRANDE FÊTE DU **RENOUVELLEMENT**, QUI POUR UNE FOIS PORTERA BIEN SON NOM !

IL NE NOUS RESTE PLUS QU'À ATTENDRE !

M'OUI !.. ET CETTE AT-TENTE RISQUE D'ÊTRE INSUPPORTABLE !

ELLE LE SERA PLUS ENCORE POUR MOI !... JE VOUS RAPPELLE QUE MON ÉPOUSE EST ENTRE LES MAINS DE **DAMMARTIN** !

SEIGNEUR ARGON !

PARDONNEZ CETTE INTRUSION, MESSEIGNEURS, MAIS LA CHOSE EST D'IMPORTANCE !.. ELLE RISQUE FORT DE VOUS INTÉRESSER !

ALLONS, JAMET !.. AU FAIT ! JE T'EN PRIE ! NE ME FAIS PAS ATTENDRE !!

IL S'AGIT D'UN PETIT HOMME LAID ET MAL FAIT !... IL SE NOMME **RABAL** ! CE NOM VOUS DIT-IL QUELQUE CHOSE ?

MM... **RABAL ! RABAL !** VOYONS !... M'OUI.. OUI !... N'ÉTAIT-CE PAS CE GNOME RIDI-CULE QUE LA REINE, EN SON TEMPS, PROTÉGEAIT ?... UN MÉ-CHANT FARFADET QUI, DISAIT-ON, POSSÉDAIT UN BIJOU ÉTRANGE, SYMBOLE DU POUVOIR QUE LA REINE AVAIT ACCAPARÉ !...

C'EST CELA MÊME !

MM... SAIT-ON JAMAIS !...S'IL POSSÉ-DAIT RÉELLEMENT QUELQUE MAGIE SUSCEPTIBLE DE NOUS AIDER !...

IL AVAIT, SI JE NE M'ABUSE, DISPARU EN MÊME TEMPS QUE LA REINE !... EH BIEN FIGUREZ-VOUS QUE PAR HASARD, UN DE MES HOMMES L'A RETROUVÉ !

IL VIT DANS UNE SORTE DE TERRIER ! CELA VOUS PLAIRAIT-IL DE LE VOIR ?

JE T'ACCOMPAGNE, JAMET !

15

HOOORRRS DU COEURRR! C'EST LE MALHEURRR!

SBAM

HÉ, HÉ! NOUS AVONS BIEN FAIT DE NOUS HÂTER!... LE PETIT HOMME AVAIT DES PROJETS SEMBLE-T-IL!

HOLA, BONHOMME! N'AIE PAS PEUR!... TU CACHES, ICI, UNE PIERRE MAGIQUE!... JE LE SAIS!...

DONNE-LA-MOI ET AUCUN MAL NE TE SERA FAIT!

ALORS! TU VAS PARLER?!

HOLÀ! CALME, JAMET!!

VOYONS!.. D'APRÈS CE QUE JE CROIS ME RAPPELER LA PIERRE,.. JE SAIS OÙ LA TROUVER!!

ET IL FAUDRA LUI FAIRE MAL À CE PETIT CACHOTTIER POUR L'AVOIR ENFIN À PORTÉE!

OUI MON BON JAMET!.... CAR C'EST EN LUI-MÊME QUE LE BIJOU EST CACHÉ!

16

CROYEZ-MOI MONSEIGNEUR, CROYEZ-MOI! SI VOUS ME L'ÔTEZ, VOUS SEREZ MAUDIT! CAR LE VRAI NOM DE LA PIERRE EST... *PIERRE DE FOLIE!*

BONIMENT! PETIT PLAISANT! BONIMENT!... JE VEUX LE POUVOIR DE CETTE PIERRE ET TU VAS ME LA DONNER!!

ATTENDEZ, MONSEIGNEUR! ATTENDEZ!... EN MOI, LA PIERRE EST PUISSANCE POUR LA PERSONNE DE MON CHOIX! ...MAIS HORS DE MOI, ELLE N'APPORTE QUE LE MALHEUR À CELUI QUI LA PORTE!...

LE MALHEURRR, LE MALHEURR!!

MAIS, QUI PARLE DE LE TUER! SI MES SOUVENIRS SONT BONS, LA PIERRE EST SIMPLEMENT COUSUE SOUS SA PEAU.....JE VAIS DONC TOUT AU PLUS L'ÉGRATIGNER!...SOIS SANS CRAINTE!

ATTENDEZ, SEIGNEUR!.... SI CE QU'IL DIT EST VRAI, À QUOI CELA VOUS SERVIRAIT-IL DE LE TUER? IL FAUT SE MÉFIER!

AAAAAH!

SAINTE FEMME DU CIEL!! .... UN SIMPLE CAILLOU! ...

MAUDIT!! AINSI DONC TU MENTAIS!! TU AS TOUJOURS MENTI! QUEL NIAIS JE FAIS! J'AURAIS DÛ M'EN DOUTER!!

17

ATTENDEZ, ARGON!... ET S'IL N'AVAIT PAS MENTI?... LA PIERRE POURRAIT ÊTRE VRAIMENT MALFAISANTE, MAINTENANT, POUR CELUI QUI L'A SUR LUI!

OUI!OUI!...SAIT-ON JAMAIS? CE CURIEUX PETIT HOMME AVAIT DES ACCENTS DE SINCÉRITÉ!.... VOYONS...CETTE PIERRE, ON POURRAIT PEUT-ÊTRE LA TESTER?!

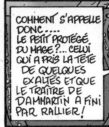

COMMENT S'APPELLE DONC.... LE PETIT PROTÉGÉ DU MAGE?...CELUI QUI A PRIS LA TÊTE DE QUELQUES EXALTÉS ET QUE LE TRAÎTRE DE DAMMARTIN A FINI PAR RALLIER!

JOACHIM!

JOACHIM! C'EST ÇA!... JOACHIM!

LA NUIT MÊME, AU CHÂTEAU DE DAMMARTIN....

AH! JOACHIM!... JE T'ATTENDAIS! J'AI EU UNE NUIT AGITÉE... ET AUSSI UNE IDÉE!!

VOILÀ! LA VIEILLE FEMME DONT CETTE JEUNE PERSONNE NOUS A PARLÉ!... NOUS PENSONS TOUS LA MÊME CHOSE!.... ELLE CONNAÎT TA MUSIQUE, DE PLUS, SON ÂGE SEMBLE CORRESPONDRE!..... **ET SI C'ÉTAIT NOTRE REINE?**... NOUS DEVONS LE SAVOIR!.... IL NOUS FAUT DONC ABSOLUMENT LA DÉLIVRER, ET JE SAIS QUAND NOUS POUVONS TENTER NOTRE CHANCE....

...ATTENDS! ATTENDS!... LE JOUR DE LA FÊTE ANNUELLE DU RENOUVELLEMENT!

CO...COMMENT AS-TU DEVINÉ?

JE N'AI PAS DEVINÉ... J'AI EU LA MÊME IDÉE.

HOLA! SUPERBE!

ET...TU VAS APPRENDRE À JOUER DE LA FLÛTE AUSSI?

EUH!... EXCUSEZ-MOI JOACHIM... JE VOUS AI PRIS CETTE VESTE, LA MIENNE ÉTAIT COUVERTE DE BOUE!

VOUS AVEZ BIEN FAIT!

...EUH!... EN TOUT CAS L'IDÉE EST BONNE!...PRESQUE TOUS LES GENS DU ROI SONT OCCUPÉS CE JOUR-LÀ!... ...NOUS AVONS DONC DIX JOURS POUR PRÉPARER CE JOUR QUI POURRA PEUT-ÊTRE TOUT CHANGER..

TAAAAAAA TAAAHHH

OYEZ! OYEZ! BONNES GENS ET CHEVALIERS!
AUJOURD'HUI EST JOUR DE GRANDE FÊTE! ....
CAR LA PUISSANCE DU ROI, QUI EST AUSSI CELLE DU ROYAUME,
SERA DANS QUELQUES INSTANTS SYMBOLIQUEMENT
RÉGÉNÉRÉE! ....

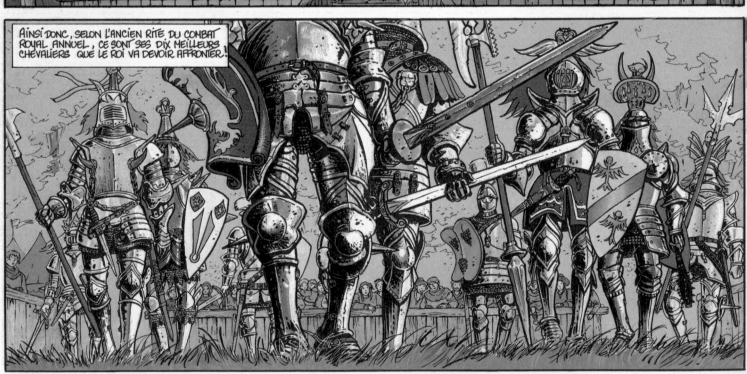

AINSI DONC, SELON L'ANCIEN RITE DU COMBAT
ROYAL ANNUEL, CE SONT SES DIX MEILLEURS
CHEVALIERS QUE LE ROI VA DEVOIR AFFRONTER!

OYEZ! OYEZ!

QU'IL EN SOIT AINSI
FAIT, ET QUE LA
PUISSANCE DE NOTRE
ROI SOIT AINSI
RENOUVELÉE!!

TAAAH TAAAHAHAA

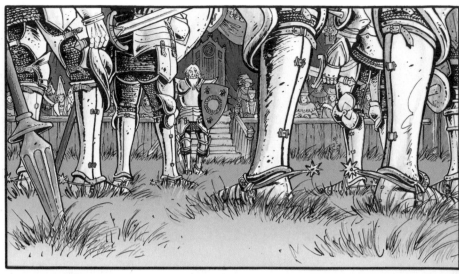

KLANG

BRAVOOoo SUS VIVE LE ROI!!

HA! HA!... ENFIN JE LE TIENS! CET IDIOT CROIT QUE COMME CHAQUE ANNÉE LE COMBAT SERA SYMBO-LIQUEMENT SIMULÉ, ALORS QUE CETTE FOIS, LES DIX CHEVALIERS SE BATTRONT POUR DE BON!

...APRÈS TOUT!... CE N'EST QU'UN SIMPLE RETOUR AUX ORIGINES!... LE ROI DOIT ÊTRE VRAIMENT FORT! ....S'IL RÉUSSIT À VAINCRE, JE SERAI FIER DE ME RANGER À SES CÔTÉS!!

AAAH! AAH!

SAINTE FEMME DU CIEL!

22

LA GRILLE ! LEVEZ LA GRILLE ! VITE !

ALLONS-Y !!

LE ... LE COULOIR ! ...
LE COULOIR - MÈRE ! ...

MON...MON FRÈRE! ... MON PAUVRE FRÈRE!!

?

QU'AI-JE FAIT? ... JE SUIS SANS PITIÉ! JE ME SUIS SERVI DE LUI!... MON FRÈRE EMPRISONNÉ! ... MON FRÈRE MUET!

?

?!

JE...JE SUIS MAUDIT!! ...MAUDIT! JE DOIS LE VENGER!!

SIRE!

??!

AAAAAAA!!

EH?...ÇA!...LE ROI FOU AVAIT ENCORE QUELQUES ATOUTS.. CORBLEU!... C'EST HEUREUX QUE SON REMORDS AIT JOUÉ!... PARCE QUE....CE COUP-LÀ!....J'AVOUE, JE NE L'AVAIS PAS PRÉVU!

YAAAAAAAAAAAAAAAAAA

POUAH!.. QUELLE ODEUR!

EH!.. EH! LÀ-BAS!.. C'EST MOI ARTHIS! VOUS VOUS RAP-PELEZ?.. ARTHIS!.. J'AVAIS DIT QUE JE REVIENDRAIS!

ET JE SUIS REVENU!... POUR VOUS DÉLIVRER!... VOUS...VOUS COMPRENEZ?! VOUS ÊTES LIBRES!.... VOUS ÊTES LIBRES!... **VOUS COMPRENEZ??**

LAISSEZ TOMBER, ARTHIS! ILS NE VOUS RECONNAIS-SENT PAS!...VOUS VOYEZ BIEN!... ILS SONT COMPLÈTEMENT....

LA FERME, TOI!.. TAIS-TOI!! TAIS-TOI!! TOUT ÇA NE TE REGARDE PAS!!

..BLONDINET...

EH! EH! ÇA VA!.. CALME-TOI!... QU'EST CE QUI TE PREND, BLONDINET??

AR...ARTHIS??

DOCTEUR!...C'EST VOUS!...VOUS ÊTES TOUJOURS LÀ?...LA BASSE-NOIRE NE VOUS A PAS ENCORE EMPORTÉ?...

NON! NON!.. ELLE NE M'A PAS EU!...MAIS..C'.. C'EST QUOI TOUS CES COSTUMES?

PLUS TARD!.. ..PLUS T..

ET LA REINE!.LA REINE! EST-CE QUE VOUS Y PEN-SEZ?! OÙ EST-ELLE?

OUI!OUI!..GRAND-PAYS!.. DOCTEUR!..GRAND-PAYS! ...OÙ SE TROUVE-T-ELLE? ....EST-CE QU'ELLE EST ENCORE EN VIE?

GRAND-PAYS!..ELLE..VIT! ...JE SAIS OÙ!..JE SAIS! C'EST PAR ICI!!....

...C'EST ELLE, LÀ-BAS!.. C'EST GRAND-PAYS!

ELLE...ELLE A BEAUCOUP VIEILLI!...MAIS...PAS VRAI-MENT CHANGÉ!....JE LA RECONNAIS!...C'EST BIEN ELLE! **C'EST NOTRE REINE!**

ELLE EST COMME... ENDORMIE!...EST-CE QUE NOUS ARRIVERIONS TROP TARD?

ATTENDEZ!

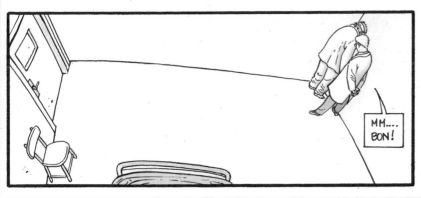

MM....
BON!

ALLEZ, ARTHIS!...
CONTINUEZ!... RACONTEZ!
RACONTEZ-MOI!... APRÈS!
QUE S'EST-IL PASSÉ?

ENSUITE!... JE...JE
NE...PEUX PLUS RIEN
...MAÎTRISER!...
...SUITE D'IMAGES...
CONFUSES!... TOUT
EST...BROUILLÉ...
OUI, BROUILLÉ...

OUI! OUI!
C'EST ÇA!...
ALLEZ!
CONTINUEZ!

VITE! VITE!...
MAJESTÉ! NOUS DEVONS
NOUS HÂTER!... APRÈS
NOUS AURONS TOUT LE TEMPS
DE VOUS EXPLIQUER!...

BON BON ÇA VA
ALLER! C'EST TOUT
POUR AUJOURD'HUI!
...MAINTENANT
VOUS ALLEZ VOUS
REPOSER!...

NON! NON, ATTENDEZ!
CE...CE N'EST...PAS
FINI! ÉCOUTEZ!
ÉCOUTEZ-MOI!
ÉCOUTEZ-MOI!

ÉCOUTEZ-MOI!
BONNES GENS ET
CHEVALIERS!
JE VOUS DEMANDE
À TOUS DE
M'ÉCOUTER!

MAINTENANT QUE L'ANCIEN SOUVERAIN ET SON FRÈRE NE SONT PLUS, **MOI, ARGON**, SEUL VRAI FILS DE ROI DE PAR TOUT LE ROYAUME, J'ACCEPTE DE VOUS GUIDER! ...OYEZ! OYEZ!... AYEZ FOI EN MOI ET DU PLUS MISÉREUX AU PLUS VALEUREUX DES CHEVALIERS, ONCQUES NE VOUS ABANDONNERAI!...

MH'OUI ARTHIS! OUI!... PARFAIT... OUI!... ET...MM...ET LA REINE?

LA REINE! LA REINE! LAISSEZ PASSER LA REINE! LAISSEZ PASSER LA REINE!!

LA REINE!.. ILS ONT DIT LA REINE!!

COMMENT EST-CE POSSIBLE??

C'EST... C'EST IMPOSSIBLE! NON! NON! CE N'EST PAS VRAI!!.... D'OÙ SORT-ELLE? COMMENT L'ONT-ILS RETROUVÉE??

C'EST UNE IMPOSTURE! ELLE NE PEUT PAS ÊTRE LA REINE!! EMPAREZ-VOUS D'ELLE!

IL EST TEMPS D'EN FINIR! SUS AUX HOMMES D'ARGON! MORT AU BÂTARD!!

28

C'EST... À CE MOMENT-LÀ QUE ...QUELQUE CHOSE D'ÉTRANGE S'EST PASSÉ! ...COMME SI MA TÊTE ÉCLATAIT... EN LAISSANT MA RAISON S'ENVOLER!

JE... JE NE SAVAIS PLUS CE QUE JE FAISAIS ... CE QUE JE DISAIS...

TOI!...Y'A PLUS BEAUCOUP DE FEMMES EN GALTHÉDOC, ALORS, CELLE-LÀ, TU NE VEUX PAS LA LAISSER S'ÉCHAPPER! HEIN! C'EST ÇA?!!

ROYAUME DE DÉGÉNÉRÉS! ALLEZ! ALLEZ! AVOUE-LE!.... C'EST SON CUL QUI TE FAIT RÊVER!!

ARTHIS! NON! PAS ÇA!!

ARTHIS

ARRÊTEZ !... CESSEZ LE COMBAT !..NOUS AVONS PERDU !.. IL FAUT SE RENDRE !.. VIVE LA REINE !

JOACHIM !

VIVE LA REINE ! VIVE LA REINE ! JOACHIM !

IL EST TEMPS, JE CROIS, AMIS, QUE VOUS CONNAISSIEZ ENFIN LA VÉRITÉ !... VOUS DEVEZ TOUS SAVOIR CE QUI S'EST PASSÉ, IL Y A MAINTENANT PLUS DE VINGT ANNÉES !

32

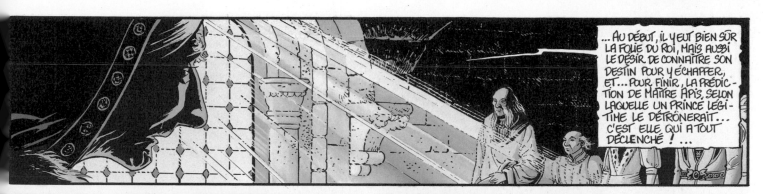

... AU DÉBUT, IL Y EUT SÛR LA FOLIE DU ROI, MAIS AUSSI LE DÉSIR DE CONNAÎTRE SON DESTIN POUR Y ÉCHAPPER, ET... POUR FINIR, LA PRÉDICTION DE MAÎTRE APIS, SELON LAQUELLE UN PRINCE LÉGITIME LE DÉTRÔNERAIT... C'EST ELLE QUI A TOUT DÉCLENCHÉ !...

CAR, DÈS LORS, IL N'EST PLUS JAMAIS ENTRÉ DANS MON LIT, SAUF UN SOIR DE BEUVERIE OÙ IL M'A VIOLENTÉE !...

IL L'A PAYÉ, J'ÉTAIS ENCEINTE...

IL A JURÉ QU'IL TUERAIT LE BÉBÉ, J'AI POURTANT RÉUSSI À ÉLOIGNER LE PETIT PRINCE DÈS QU'IL EST NÉ !....

LE ROI ÉTAIT FOU DE RAGE... TOUS LES NOURRISSONS DU CHÂTEAU ET DES ENVIRONS ONT ÉTÉ RETIRÉS À LEURS MÈRES ET PERDUS DANS LA CAMPAGNE...

ET IL M'A FAIT EMPRISONNER.

LE RESTE, VOUS LE SAVEZ !... CE... CE FILS PERDU, JE L'AI... PLUTÔT, IL M'A RETROUVÉE GRÂCE À CETTE MUSIQUE QU'IL AVAIT EN LUI ET QU'À L'ÉPOQUE J'AIMAIS TANT...

ET CE FILS, LE VOILÀ !

OUI MES AMIS !... GENTES DAMES ET BEAUX CHEVALIERS...

VOILÀ VOTRE FUTUR ROI !

ET SON COURONNEMENT AURA LIEU EN MÊME TEMPS QUE SON MARIAGE, CAR IL S'EST DÉJÀ CHOISI UNE REINE !...

NON ! C'EST IMPOSSIBLE ! IL NE PEUT PAS L'ÉPOUSER ! ELLE EST DÉJÀ MARIÉE !

MAIS..COMMENT !..JE... JE NE COMPRENDS PAS !

MAUDIT ! TU LE SAIS POURTANT ! C'ÉTAIT CONTRE SON GRÉ ! ... ET QUI PLUS EST, POUR TE SAUVER !

TU N'AS AUCUNE LOYAUTÉ !!

LA LOI EST LA LOI, MAJESTÉ !... ...ET C'EST VOUS-MÊME QUI L'AVEZ INSTITUÉE !... C'EST VOUS QUI AVEZ FAIT DU MARIAGE QUELQUE CHOSE DE SACRÉ !

AVAIT-ELLE, OU NON, LE DROIT DE TRAHIR ARGON, SON MARI ?

MAIS !.... QUI PROUVE QU'ELLE L'A TRAHI ?

MOI ! ELLE M'A EMBRASSÉ !

...MAIS, DITES_MOI, ARTHIS !...
...SI CETTE JEUNE FILLE
A ACCEPTÉ DE SE MARIER
À ARGON ...ÉTAIT-CE OU
NON POUR VOUS SAUVER ?

NON !

ET VOUS, GENTE DEMOISELLE
...RÉPONDEZ TRÈS SINCÈRE-
MENT ... AIMEZ-VOUS ARTHIS ?

NON !...JE...
JE...JE NE
L'AIME PLUS...

35

ELLE MENT! ELLE MENT POUR SE PROTÉGER!!

JOACHIM! NON!

MM.... DANS CETTE AFFAIRE, LE SIEUR ARTHIS NOUS SEMBLE TROP IMPLIQUÉ!.. IL NOUS FAUDRAIT UN AUTRE TÉMOIN POUR POUVOIR JUGER!..

ANNE... MON AMIE ANNE NOUS A VUS NOUS EMBRASSER!

APPROCHEZ-VOUS, MON ENFANT ET DITES-NOUS SI RÉELLEMENT VOUS AVEZ VU CE BAISER!

NON!

NON!...
DÉSOLÉE!...JE
N'AI RIEN VU!!

AAAAHH!
GARCE!!
TOI AUSSI TU
ME LAISSES
TOMBER!
TRAÎNÉE!
JE TE HAIS!

TU M'ENTENDS
JE TE HAIS!
JE TE HAIS!

JE TE HAIS!
JE NE VEUX PLUS
TE VOIR!...JAMAIS
JAMAÏÏÏÏIS!!

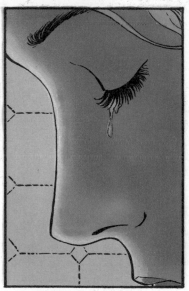

AU MÊME MOMENT...

ALORS?.. LA GUIL-
LAUMETTE!.. L'A
POINT ENCORE PONDU
SON MARMOT?...

TÉ!...ELLE LE FERA
TOUJOURS BEN ASSEZ TÔT!
SURTOUT SI C'EST UN COUILLU!

NON!
Y'S'RA
FENDU!!
C'EST MOI QUI
VOUS L'DIS!..
LA REINE
EST REVENUE!
CETTE FOIS,
Y'S'RA FENDU
...
SINON TOUT
EST PERDU!

UNE
FILLE!

C'EST
UNE
FILLE!

C'EST UNE
FILLE!.. LA
MALÉDICTION
S'EST ÉLOIGNÉE!
SAUVÉS! MES
AMIS!.. C'EST
UNE FILLE!
NOUS
SOMMES
SAUVÉS!

ET POURTANT JE L'AIMAIS! OH OUI, JE L'AIMAIS, ET TOUT CE QUE J'AI FAIT OU DIT JUSQU'À MAINTENANT, C'ÉTAIT POUR LE GARDER!...

MAIS?... ET ET JOACHIM?

IL EST... BON, ET... COMMENT DIRE, AGRÉABLE À REGARDER!... MAIS JE NE L'AI JAMAIS AIMÉ! ET JE N'AI ENCOURAGÉ SES SENTIMENTS, QUE POUR MIEUX L'UTILISER!... POUR RENDRE ARTHIS JALOUX ET VOUS ÉCARTER!!

C'EST... C'EST ABSURDE! ET... LE MARIAGE?!

VOUS N'AVEZ PAS TOUT PERDU, PUISQUE VOUS L'AIMEZ ENCORE!... TANDIS QUE MOI... MOI, C'EST FINI... TOUT CE QUI EST ARRIVÉ, JE NE POURRAI JAMAIS LUI PARDONNER!....

NE SOYEZ PAS TRISTE!

LES CHOSES SE SONT PRÉCIPITÉES!.... JE N'AI PAS SU, ET JE NE SAIS PAS ENCORE, COMMENT EXPLIQUER TOUT ÇA À JOACHIM!... J'ESPÉRAIS QUE... QU'ARTHIS RÉUSSIRAIT À EMPÊCHER CE MARIAGE ET M'EMMÈNERAIT LOIN D'ICI!!

C'EST AMUSANT... CAR FINALEMENT C'EST VOTRE LOYAUTÉ QUI M'A PIÉGÉE!

JE... N'AURAIS JAMAIS IMAGINÉ! JE SUIS DÉSOLÉE!

C'EST BIEN AINSI!... MAINTENANT, IL NE ME RESTE PLUS QU'À ESPÉRER QUE L'AMOUR DE JOACHIM NE M'ENLÈVERA PAS MA LIBERTÉ!.....

JE NE VEUX PAS RESTER ICI!... JE VEUX REVOIR LE GRAND PAYS!!

MAJESTÉ!... MAINTENANT QUE TOUT EST CONSOMMÉ... J'AI LE SENTIMENT QUE QUELQUE CHOSE N'A PAS ÉTÉ DIT... IL VOUS RESTE UN SECRET!

JE NE SUIS PAS VOTRE FILS, N'EST-CE PAS?

COMMENT L'AS-TU DEVINÉ?

MM!... QUELQUES PETITES CHOSES!... ET PUIS, QUAND VOUS AVEZ DIT "CE FILS PERDU M'A RETROUVÉE," J'AI BIEN COMPRIS VOTRE HÉSITATION À DIRE "MON FILS PERDU"!

OUI!... MON FILS À MOI EST MORT EN NAISSANT... JE L'AI CACHÉ AU ROI POUR LUI FAIRE EXPIER MES HUMILIATIONS!!

ALORS?... ET MOI? .... QUI SUIS-JE?

LE FILS D'UNE AMIE AUJOURD'HUI DISPARUE! ...MA MEILLEURE AMIE, MA CONFIDENTE!... ELLE AUSSI ÉTAIT ENCEINTE, ET C'EST TOI QU'ELLE PORTAIT QUAND ELLE ME JOUAIT CET AIR DE FLÛTE QUE NI L'UN NI L'AUTRE N'AVONS OUBLIÉ!

JO...JO.. JOACHIM..

MAIS?...ALORS, POURQUOI M'AVOIR DÉSIGNÉ COMME FUTUR ROI?

J'AI VU COMMENT LE PEUPLE T'ACCLAMAIT!...TU ES AIMÉ!

...ET LE MAGE APIS LUI-MÊME AFFIRMAIT QUE SA PRÉDICTION PARLAIT DE PRINCE "LÉGITIME"...PAS DE FILS DE ROI!!...ALORS, COMME LUI, JE DIS CE QUE JE VOIS!!

MAIS CE N'EST PAS FINI!...IL TE RESTE ENCORE UNE CHOSE À APPRENDRE!

JE NE T'AI PAS TOUT DIT!

VOIS-TU... JE SUIS NÉE DANS LE GRAND PAYS PAR ERREUR !... JE M'Y SUIS TOUJOURS SENTIE ÉTRANGEMENT ABANDONNÉE... ACCABLÉE PAR UNE SORTE DE SENTIMENT D'IRRÉALITÉ...

J'HABITAIS SEULE, PAS TRÈS LOIN DES MARAIS !... L'ENDROIT ME FASCINAIT !... ET JE M'Y PERDAIS TRÈS SOUVENT EN D'INTERMINABLES PROMENADES !

ET PUIS UN JOUR, CE QUE J'ESPÉRAIS ET REDOUTAIS À LA FOIS ARRIVA !....

AU DÉTOUR D'UN MARÉCAGE OMBRAGÉ, JE ME SUIS SOUDAIN RETROUVÉE FACE À UN INCROYABLE CHEVALIER SURGI DE NUL-LE PART... ET QUI, PENDANT UN TEMPS INDÉFINIMENT LONG, RESTA LÀ, DEVANT MOI, IMMOBILE, À ME REGARDER !.....

PUIS IL FIT UN SIGNE ET PLUSIEURS HOMMES EN ARMES SORTIRENT DES FOURRÉS POUR M'EMMENER !

C'EST AINSI QUE JE SUIS DEVENUE CONCUBINE DU ROI ! OH !... UNE PARMI LES AUTRES !... NI PLUS NI MOINS APPRÉCIÉE, J'ÉTAIS BELLE, JE CROIS, MAIS CERTAINES L'ÉTAIENT TOUT AUTANT QUE MOI !!

LE...LE **PETIT HOMME** EST ARRIVÉ BIEN APRÈS !... IL ÉTAIT TRÈS LAID, AVEC UN PETIT AIR DÉSESPÉRÉ ET UN DRÔLE DE VOLATILE CONSTAM-MENT PERCHÉ SUR LE HAUT DE SON CRÂNE ....

IL FUT RAPIDEMENT L'OBJET DE RISÉES, FARCES ET QUOLIBETS DE LA PART DES GENS DU PEUPLE COMME DES GENS DE COUR QUE PARFOIS IL APPROCHAIT !

ET POURTANT, MALGRÉ SES MALHEURS, IL S'OBSTINAIT À RACONTER QU'IL AVAIT DANS LE CORPS UNE PIERRE MAGIQUE, SYMBOLE DE PUISSANCE, BONHEUR ET PROSPÉRITÉ !

CE QUE VOUS ME RACONTEZ LÀ EST... ÉTRANGE, MAJESTÉ... ON DIRAIT UNE SORTE DE... DE CONTE DE FÉES !... ET PUIS... CETTE PIERRE MAGIQUE ! ... POURQUOI N'AGISSAIT-ELLE PAS SUR LUI ?...

POUR LUI, C'ÉTAIT INEFFICACE !... ELLE NE POUVAIT ÊTRE FAVORABLE QU'À CELUI OU CELLE QUI LUI DONNERAIT SON AMITIÉ !....

ENFIN, MOI, ÉVIDEMMENT JE N'Y CROYAIS PAS, ET D'AILLEURS JE N'Y AI JAMAIS CRU!... ...MAIS, À LA FIN, CE PETIT HOMME QUI S'ACCROCHAIT SI FORT À SON HISTOIRE M'AVAIT ÉMUE!...

...ET LUI ET MOI AVONS FINI PAR NOUS RACONTER DES TAS DE CHOSES, PARFOIS SANS GRAND INTÉRÊT, MAIS EN CONFIDENCE, COMME CELA SE PASSE SOUVENT...ENTRE AMIS.

AINSI, SANS QUE JE M'EN ÉTONNE VRAIMENT, LE ROI QUE J'AIMAIS M'A AIMÉE EN RETOUR ET CHOISIE POUR REINE. NOUS AVONS VÉCU AINSI DE LONGUES ANNÉES DE BONHEUR SANS NUAGES ET DE GRANDE PROSPÉRITÉ.

PUIS, LE TEMPS A PASSÉ... J'ÉTAIS COMBLÉE ET, PEU À PEU, JE ME SUIS ÉLOIGNÉE DE MON PETIT AMI!...

SA LAIDEUR, QUI M'AVAIT TROU-BLÉE LORSQU'IL ÉTAIT DÉSESPÉRÉ, FINISSAIT PAR M'INDISPOSER, MAINTENANT QU'IL ÉTAIT AIMÉ ET CHOYÉ!

ET AU PLUS JE LE REJETAIS, AU PLUS IL S'ATTACHAIT À MOI, ME POURSUIVAIT, ME SUPPLIAIT!... ALORS, POUR FINIR, UN JOUR, JE NE L'AI PLUS SUPPORTÉ!..... ET JE L'AI CHASSÉ!

LA SUITE, TU LA CONNAIS... LA PRÉDICTION DE MAÎTRE APIS, LA FOLIE DU ROI, ET, FINALEMENT, MON EMPRISONNEMENT!

MAIS!...ALORS!...TOUT ÇA ÉTAIT PEUT-ÊTRE DÛ À L'INFLUENCE DE LA PIERRE MAGIQUE?

NON! NON!... JE NE VEUX PAS, ET D'AILLEURS JE N'AI JAMAIS PU CROIRE À CE GENRE DE SOR-NETTES!...POUR MOI, ÇA N'A JAMAIS ÉTÉ QU'UN SIMPLE CAILLOU QUE CE PETIT HOMME HABILE ET TRÈS RUSÉ S'ÉTAIT LUI-MÊME COUSU SOUS LA PEAU, ET CETTE LÉGENDE ...UNE HISTOIRE INVENTÉE PAR LUI POUR FAIRE OUBLIER SA LAI-DEUR ET SE FAIRE ACCEPTER!

MH!... MAIS...CE... CE PETIT MALIN!... QU'EST-IL DEVENU? ---- VIT-IL ENCORE?

HÉLAS!...JE NE SAIS!... MAIS, J'AIMERAIS BIEN LE REVOIR!...SIMPLE-MENT POUR ME RAPPE-LER S'IL ÉTAIT VRAIMENT LAID!... ET AUSSI POUR ME FAIRE PARDONNER!

ET...ET ARTHIS! QU'ALLEZ-VOUS EN FAIRE?

IL EST ENCORE ICI!...MAIS... À CAUSE DE TOUT CE QU'IL A FAIT POUR NOUS, JE VAIS L'AUTORISER À S'EN ALLER!... C'EST MIEUX AINSI!

TOI! QUE ME VEUX-TU ENCORE!?

CETTE QUESTION, MON BON!... LA PIERRE!

LA PIERRE DE FOLIE!

EH OUI!...J'AI FINI PAR COMPRENDRE QUE C'EST TOI QUI L'AVAIS!

MAIS, C'EST QUOI CETTE HISTOIRE DE PIERRE?

UNE PIERRE QUI REND FOU ET DONT TU AS HÉRITÉ PAR MÉGARDE!

EH OUI! AMI!...HÉ HÉ!...TU ES DEVENU MALADE ET FOU PAR ERREUR! UNE SIMPLE ERREUR! HÉ HÉ! AMUSANT, NON?...

ALLEZ! TIENS-TOI TRANQUILLE!...JE REPRENDS LE CAILLOU ET TU POURRAS T'EN ALLER AU DIABLE!

...AH!... LA VOILÀ!...

ARRÊTEZ! MAIS ARRÊTEZ!

43

ARTHIS!! NON!!

ARTHIS!

HÉ HÉ! LA PIERRE! ENFIN!

LA PIERRE! LA PIERRE DE FOLIE!! À MOI!! ELLE EST À MOI!!

HOOO! CALMEZ-VOUS! INUTILE DE BRAILLER COMME ÇA!! ET D'ABORD QU'EST-CE QUE C'EST QUE CETTE PIERRE?

HÉ HÉ!... MAIS, C'EST LA PIERRE DE FOLIE, MA BELLE! ...ET ELLE ÉTAIT COUSUE DANS LA VESTE DE TON DAMOISEAU!... EH OUI! ET C'EST POUR ÇA QU'IL A PERDU LA RAISON!!...TU NE LE SAVAIS PAS??

MON DIEU!

HÉ, HÉ! LA BELLE!...TU ES DÉÇUE!...QU'EST-CE QUE TU AS CRU?...HEIN?!...QUE C'EST POUR TOI QU'IL S'EST BATTU?

MH!.. OU ALORS!.. LA PIERRE, TU N'Y CROIS PAS!.. HEIN! C'EST ÇA?...PLUTÔT QUE FOLIE, TOI TU PENSES JALOUSIE!.. ...JALOUSIE STUPIDE, FÉROCE, MAIS JALOUSIE ....

POURTANT!... SES YEUX! ...COMME MOI TU AS VU SES YEUX!!
ET MOI, HÉ HÉ, JE PEUX TE LE DIRE, CE QUE J'Y AI VU....
C'ÉTAIT BIEN DE LA FOLIE!!

OUI! OUI!..LA FOLIE! LE PETIT HOMME N'A PAS MENTI!... LA PIERRE DE FOLIE A BIEN UN POUVOIR! ET CE POUVOIR, MAINTENANT ENFIN M'APPARTIENT!... IL EST À MOI! À MOI!!

AH NON! ..LA PIERRE! LA PIERRE!

ELLE EST À MOI! NON! NOOON!!!

45

ET... SELON VOUS... COMBIEN DE TEMPS SON ÉTAT PEUT-IL DURER?

MM! DIFFICILE À DIRE!... PUISQUE, SELON VOUS, IL S'AGIRAIT D'UNE SORTE DE FOLIE... DISONS, HM, ARTIFICIELLEMENT CRÉÉE!.. ELLE PEUT DONC DURER DEUX JOURS COMME UNE VINGTAINE D'ANNÉES!... JE NE PEUX PAS ME PRONONCER!

...EH BIEN!... J'ATTENDRAI!

MAIS!.. MM!.. ENTRE NOUS!... POUR MOI, CE ...CE ROYAUME DONT IL PARLE N'A JAMAIS EXISTÉ QUE DANS LES BRUMES DE SON CERVEAU!.... ET JE VAIS ÊTRE FRANC, J'EN VIENS AUSSI À DOUTER DE TOUT CE QUE VOUS M'AVEZ RACONTÉ!
....
VOUS ME COMPRENEZ!?

JE COMPRENDS!.... EH BIEN QU'À CELA NE TIENNE, CHER MONSIEUR, DOUTEZ!

MADAME!... JE ...JE N'AI PAS SI SOUVENT CONNU DE VRAIE AMITIÉ!... ET... LA VÔTRE, DONT JE SUIS PRIVÉ DEPUIS DES ANNÉES, M'A FAIT CRUELLEMENT DÉFAUT! ET PARCE QUE VOUS ÉTIEZ ENFERMÉE, JE ME SUIS TERRÉ EN ATTENDANT QUE VOUS RETROUVIEZ VOTRE LIBERTÉ!!

MAIS ...PLUS RIEN NE PEUT FAIRE MAINTENANT QUE VOUS M'AIMIEZ!... J'AI PERDU LA SEULE CHOSE QUI POUVAIT ME DONNER QUELQUE ATTRAIT.... MA PIERRE MAGIQUE! ON ME L'A ENLEVÉE! ...AUSSI JE ...JE VOULAIS SEULEMENT VOUS REVOIR!...

JE...NE FAIS QUE PASSER!

FIN

DESSIN : L. VICOMTE
TEXTE : P. MAKYO
COULEURS : L. QUILICI
22-9 1988

R.C.L.

AOUT 2010

A A 6